Kleine Prosa
in Moderne und
Gegenwart

ASCHENDORFF MÜNSTER

© 2006 Aschendorff Verlag GmbH & Co. KG, Münster

Druck: Aschendorff Medien GmbH & Co. KG, Druckhaus
Aschendorff, Münster

ISSN 1438-8022
ISBN 3-402-04173-1

Inhalt

1. Einleitung: Kleine Prosa und literarische Moderne

In dem programmatischen Vorwort zu einem seiner Sammelbände hat der prominente österreichische Feuilletonist Alfred Polgar die „kleine Form" 1926 emphatisch als jene Art der Literatur verteidigt, die allein „der Spannung und dem Bedürfnis der Zeit gemäß" sei. Angesichts der Beschleunigung aller Lebensverhältnisse im Prozess der Modernisierung sei das „Leben" im 20. Jahrhundert „zu kurz für lange Literatur, zu flüchtig für verweilendes Schildern und Betrachten, [...] zu romanhaft für Romane"; das ‚ästhetische Gebot der Stunde' seien daher „episodische Kürze" und das „Bemühen, aus hundert Zeilen zehn zu machen".[1] Mit diesem Entwurf einer Poetik Kleiner Prosa als paradigmatischer literarischer Form der Moderne, charakterisiert durch Kürze und ästhetische Konzentration sowie den pointierten Gegensatz zu etablierten Großgattungen, steht Polgar nicht allein. So hatte Joris-Karl Huysmans das Prosagedicht, mit dem die Geschichte solcher Kleiner Prosa in der europäischen Moderne des 19. Jahrhunderts beginnt, in seinem einflussreichen Roman „Gegen den Strich" (1884) als einen „auf ein oder zwei Seiten kondensierte[n] Roman" bezeichnet, als „den konzentrierten Saft, den festen Kern der Literatur, das ätherische Öl der Kunst"[2]. Und der österreichische Autor Peter Altenberg, einer der Begründer der modernen Prosaskizze, versteht seine Kurzprosatexte als „Extrakte des Lebens", die einem „Telegrammstil der Seele" gehorchten, der die ‚gedrängteste Form' suche: „Ich möchte einen Menschen *in einem Satze* schildern, ein Erlebnis der Seele *auf einer Seite*, eine Landschaft *in einem Worte*!"[3] Diese Beispiele zeigen exemplarisch, wie sich die Kleine Prosa seit dem späten 19. Jahrhundert als ein Medium literarischer Modernität entwirft, das die moderne Dynamisierung von Lebenswelt, Wissen und Gesellschaft in der Entwicklung neuer Formen literarischer Kurzprosa reflektiert. Durch diese Verknüpfung von kulturgeschichtlichem Umbruch und literarischem Aufbruch in der Überschreitung tradierter Schreibweisen und Gattungsnormen setzt sich die Kleine Prosa oder Kurzprosa – beide Begriffe werden hier synonym verwendet – seit der frühen Moderne zudem von älteren kleinen Prosaformen (wie den Exempel-, Spruch- und Apophthegmensammlungen der frühen Neuzeit, wie Aphorismus, Fabel, Anekdote oder Essay) ab und beerbt sie doch zugleich, indem sie die vermeintliche Marginalität der kleinen Form im literarischen Leben der Zeit als Chance nutzt.

Die Kleine Prosa belegt paradigmatisch, wie die „gewaltig[e] Umwälzung, die der moderne Geist in unserer ganzen Anschauungswelt hervorgerufen hat"[4] und die der literarischen Moderne epistemologisch und sozialgeschichtlich zugrunde liegt, sich literarisch in Ausdrucksformen eines im Wortsinne essayistischen, beobachtenden und erkundenden Denkens und Schreibens umsetzt, das zudem seine eigene Literarizität immer schon mitreflektiert. Im Anschluss an das französische Prosagedicht und deutsche Traditionen lyrischer, aphoristischer, diaristischer und feuilletonistischer Prosa entstehen seit der Jahrhundertwende 1900 neue Formen der Kleinen Prosa, die im Rahmen der für die Moderne charakteristischen Aufsprengung tradierter Gattungen bildhafte, reflexive und narrative Schreibweisen[5] auf unterschiedliche Weise miteinander verbinden. Das Spektrum reicht vom Prosagedicht als einer Erweiterung lyrischer Ausdrucksmöglichkeiten über die Prosaskizze, die auf der Grundlage bildhafter Augenblickseindrücke Anschauung und Reflexion zu

‚Denkbildern' moderner Wiklichkeitserfahrung verschränkt, bis zu reflexiven Aufzeichnungstypen aphoristischer, essayistischer oder tagebuchartiger Prägung sowie narrativen Formen (wie z. B. anekdotischen oder parabolischen Minimalerzählungen).

Diese unterschiedlichen Spielarten der Kleinen Prosa stellen jedoch keine eigenständigen Gattungen dar; sie entwickeln sich im Wesentlichen nicht nebeneinander, sondern im ständigen Austausch miteinander sowie in der Adaptierung von Elementen je historisch relevanter Nachbargattungen (wie dem Versgedicht, der Anekdote, dem journalistischen Feuilleton, dem Aphorismus, dem Essay oder dem Tagebuch), von denen sich die Kleine Prosa in derselben Bewegung zugleich emanzipiert, indem sie Gattungsmuster in vielfältig variierbare Schreibweisen transformiert. Die Prosagedichte etwa Max Dauthendeys, Stefan Georges oder Georg Trakls, die Prosaskizzen von Autoren wie Peter Altenberg und Robert Walser, die narrative Kurzprosa von Franz Kafka oder Robert Musil, die Feuilletonkunst eines Kurt Tucholsky oder die emblematischen ‚Denkbilder' Walter Benjamins, die Weiterentwicklungen dieser Spielarten bei Autoren wie Marie Luise Kaschnitz, Günter Eich oder Botho Strauß führen schlaglichtartig nicht nur die thematische, stilistische und formale Vielfalt der Kleinen Prosa und ihre zentrale Bedeutung für die Entfaltung der literarischen Moderne vor Augen, sondern sie deuten bereits auch das dichte Netz der Bezüge, Abgrenzungen, Parallelentwicklungen und Wiederanknüpfungen an, das die unterschiedlichen Spielarten Kleiner Prosa seit der Moderne miteinander verbindet. Während einige Autoren – wie Franz Kafka, Günter Eich oder Thomas Bernhard – die Geschichte der Kurzprosa durch prägnante Autorpoetiken vorantreiben, erproben und erweitern andere – wie Walter Benjamin, Marie Luise

Kaschnitz oder Botho Strauß – in ihren Kurzprosasammlungen eine Vielfalt unterschiedlicher Spiel-
möglichkeiten in dem sich ständig verändernden, sich
polyzentrisch weiterentwickelnden Feld der Kleinen
Prosa. So schreibt die Kurzprosa bis in die Gegenwart
einerseits die experimentelle, gattungstranszendierende Dynamik ihrer literarhistorischen Anfänge in
der frühen Moderne um 1900 fort. Andererseits wird
die moderne Kurzprosa sich im Prozess ihrer nun
mehr als einhundertjährigen Geschichte selbst historisch. Zunehmend stabilisieren und konturieren poetologische, verfahrenstechnische und intertextuelle
Rückgriffe das Feld der Formen und Schreibweisen im
Rahmen interner Traditionsbildung.

Die Kleine Prosa ist daher nur in ihrer Geschicht-
lichkeit angemessen zu erfassen. Zugleich handelt es
sich nicht nur um eine höchst produktive, sondern
auch um eine zentrale Gattung der Moderne, die in
ihrem beständigen Transformationsprozess und in ihrer formalen Vielfalt traditionelle Gattungs- und Literaturbegriffe grundsätzlich in Frage stellt. Da es
gleichwohl bis heute an einer zusammenhängenden
Erschließung der Kleinen Prosa durch die germanisti-
sche Literaturwissenschaft fehlt, unternimmt die vorliegende Einführung den Versuch eines doppelten,
systematischen und historischen Vorgehens. In einem
ersten Teil werden Ansätze zu einer Theorie der Kleinen Prosa sowie zu einer analytischen Begrifflichkeit
für entscheidende Spielarten der Kurzprosa entwickelt
(Kapitel 2 und 3). Der sich anschließende historische
Teil (Kapitel 4) verbindet dann Überblicke über
grundlegende Entwicklungslinien in der Geschichte
der Kleinen Prosa seit dem ausgehenden 19. Jahrhundert mit exemplarischen Fallstudien zu wichtigen Autoren, Autorinnen und Werken.

2. Annäherungen an eine Theorie der Kleinen Prosa

Während zu Theorie und Geschichte der literarischen Großformen von Lyrik, Epik und Dramatik eine fast unüberschaubare Forschung vorliegt, fehlt es bis heute sowohl an einer Theorie als auch einer Geschichte der Kleinen Prosa. Offenbar hat die symbolische Marginalität der kleinen Formen in den von der Lyrik, dem Roman und dem Drama bestimmten Literaturdiskursen seit der Herausbildung des modernen Literatursystems im 18. Jahrhundert auch die Literaturwissenschaft dazu verleitet, diesen höchst produktiven Bereich der modernen Literatur als randständig zu betrachten. Nun gibt es zwar zu bestimmten, insbesondere älteren kleinen Prosaformen – wie der Fabel, dem Aphorismus und dem Brief, auch zur Anekdote, zum Essay und zum Tagebuch[6] – durchaus anspruchsvolle Forschungstraditionen, deren Erträge in einer Theorie und Geschichte moderner Kurzprosa zu berücksichtigen sind; eine zusammenhängende Erforschung der kleinen Prosaformen und ihrer Funktion in ihrem jeweiligen literarhistorischen Kontext sowie eine übergreifende Theoretisierung des *Feldes* Kleiner Prosa, wie es sich im Prozess der Moderne seit dem ausgehenden 19. Jahrhundert konstituiert hat, steht jedoch noch ganz in den Anfängen. Dem entsprechenden neuen Ansatz der Tagung „Kleine Prosa – Theorie und Geschichte eines Textfeldes im Literatursystem der Moderne" (Münster, Mai 2005) ist der vorliegende Versuch daher besonders verbunden.[7]

Die Problematik älterer Versuche, von einzelnen Formen moderner Kurzprosa aus zumindest Ausschnitte des vielfältigen Spektrums der Spielarten gattungstheoretisch zu erschließen, zeigt sich augenfällig am Beispiel des Prosagedichts, das durch seinen Begründer Charles Baudelaire (1821-1867) ganz wesentlich zur Entstehung des Feldes Kleiner Prosa in der frühen Moderne beigetragen hat. Die theoretischen Probleme des Prosagedichts spiegeln in vieler Hinsicht jene des übergreifenden Feldes Kleiner Prosa. Exemplarisch ist hier der gerade in seiner Problematik anregendende Versuch Ulrich Fülleborns, auf der Grundlage eines traditionellen Gattungsverständnisses eine Geschichte des deutschen Prosagedichts zu konstruieren.

Vor dem Hintergrund des französischen poème en prose (Aloysius Bertrand, Baudelaire, Arthur Rimbaud u.a.) sieht Fülleborn das deutschsprachige Prosagedicht durch zwei sich überkreuzende Entwicklungen begründet, durch die „Emanzipierung der Lyrik von der äußeren Gebundenheit an den Vers" sowie durch die komplementäre Bewegung einer „Lyrisierung tradierter Prosaformen", „entweder in der alten Weise einer Subjektivierung, einer Verinnerlichung, oder im modernen Sinne, wonach der Ausdruck ‚Lyrik' einen veränderten Sprachzustand, erhöhte Poetizität [...] meint".[8] Seine beiden auf diesem Ansatz beruhenden Anthologien zum deutschsprachigen Prosagedicht[9] verbinden jedoch ganz heterogene Traditionslinien von lyrischer Prosa (darunter überraschenderweise auch Romanpassagen) über Texte, die im engeren Sinne Gedichte in Prosaform sind, bis zu modernen Prosaskizzen unterschiedlicher Prägung, denen kaum mehr als ihre Kürze gemeinsam ist, und so verwundert es nicht, dass Fülleborn die postulierte Gattungseinheit des Prosagedichts in unterschiedliche „Spielarten" zerfällt: in ‚poetische' Prosagedichte einerseits, in ‚prosaische' Prosagedichte andererseits sowie in „das Prosagedicht als experimentelles Sprachspiel" im 20. Jahrhundert.[10]

Diese abstufende Unterscheidung unterschiedlicher Poetizitätsgrade verweist auf die Problematik der „gestalthaften Qualitäten", die das Prosagedicht diesem Ansatz zufolge „von den kleinen Erzählformen [...] und den sonstigen kleinen Prosaformen wie Prosaskizze, Essay, Brief und Tagebucheintragung" unterscheiden soll.[11] Wenn „ein besonderer Grad an Strukturierung, die Reduktion des Sprachmaterials bei entsprechender Vermehrung der inneren Korrespondenzen", kurz „sprachliche Dichte, formale Geschlossenheit und Kürze" das Prosagedicht definieren, dann können tatsächlich, wie Fülleborn annimmt, „alle genannten kleinen Prosaformen [...] die Grenze zum Prosagedicht überschreiten".[12] Wo die formale Dichte der Textstruktur aus ihrem ästhetischen Funktionszusammenhang und ihrem poetologischen Kontext herausgelöst wird, ist es nicht mehr weit zur Ersetzung literarhistorischer Genredifferenzierungen durch pauschale ästhetische Wertungen: „Ein schlechtes Prosagedicht ist eben nur eine Prosaskizze, und eine ästhetisch hochwertige Prosaskizze ist immer schon ein Prosagedicht."[13] Fülleborn erkennt zwar die Vielfalt der Textformen, wird mit dieser normativen Gattungskonstruktion dem gleichwertigen Neben- und Miteinander unterschiedlicher Traditionen moderner Kurzprosa jedoch nicht gerecht.

Nicht zuletzt verfehlt Fülleborns Ansatz auch Baudelaires radikalen Bruch mit traditionellen Gattungsbegriffen. Mit Recht hat Johannes Hauck herausgestellt, dass es sich beim (französischen) Prosagedicht um eine „Textform" handelt, „die sehr schwer faßbar und offenbar durch keine klar isolierbaren Konstanten der Modellierungsweise, durch keinen generischen Merkmalssatz bestimmt ist".[14] Das Prosagedicht der frühen Moderne definiert sich also nicht durch rekurrente Textmerkmale, sondern durch den „Modus [seiner] Veröffentlichung" sowie durch seine Poetologie, die ihren spezifischen historischen Ort im Anbruch der „nachromantischen Moderne" hat.[15] Eben diese Verbindung von formaler Offenheit mit einer neuen, literarhistorisch genau verorteten Poetologie aber macht „das Prosagedicht zu einer paradigmatischen *Gattung* der Moderne", „zu einer ‚Gattung', die gerade keine konkreten und dauerhaften Realisierungsgewohnheiten mehr ausbildet", die daher ‚die je spezifische Realisierung der Textform' „über ein autoreflexives Potential (oder über begleitende poetologisch-programmatische Vorgaben des jeweiligen Autors)" allererst selbst begründen muss; das Prosagedicht der frühen Moderne erscheint daher auch „für experimentelle Schreibweisen [...] prädestiniert".[16]

Mit Blick auf das breite Spektrum der Formen, das in der deutschen Rezeption des französischen Prosagedichts und der stärker erzählenden „Gedichte in Prosa" des russischen Autors Iwan Turgenjew (1818-1883) hinzukommt, bezeichnet Wolfgang Bunzel das Prosagedicht der frühen Moderne daher als einen „Kommunikationstyp zweiter oder höherer Ordnung", als „eine Art von Hypergenre [...], welches die Problematik von Gattungsstrukturen in der Moderne thematisiert".[17] Als Gattung konstituiert sich das Prosagedicht der frühen Moderne also nicht durch definierbare Textstrukturmerkmale, sondern funktional – durch seine provozierende Überschreitung und Neuvermessung der (im 19. Jahrhundert) doppelten kanonischen Grenze „zwischen Lyrik und Prosa" und „zwischen ‚Dichtung' und ‚Nichtdichtung'"[18]. Das Prosagedicht Baudelairescher Prägung erweist sich in dieser neuen Sicht als eine Gattung jenseits der Gattungen, als eine Form der Literatur, die – wie die Kleine Prosa der Moderne ingesamt – traditionelle Gattungskonzepte hinter sich lässt.

14

Damit leisten Diskurs und Poetik des Prosagedichts im Gefolge Baudelaires auch in der deutschsprachigen Literatur durch die grundlegende Infragestellung des tradierten Literatursystems und durch den experimentellen Entwurf neuer Schreibweisen einen entscheidenden Beitrag zum Aufbruch der Moderne. Eine paradigmatische „kleine Form" der Moderne ist das Prosagedicht an der Wende zum 20. Jahrhundert sowohl durch die Umstellung von einem merkmalhaften auf ein funktionales Gattungsverständnis als auch durch die je spezifische Weise, in der die einzelnen Autoren den konstitutiven Abgrenzungsbezug zur Lyrik in innovative literarische Verfahren und deren poetologische Begründung umsetzen. Dass sich das Prosagedicht der frühen Moderne in ganz unterschiedlichen Textformen realisieren kann – von lyrischer Kurzprosa über „knappe Narrationen in der Ich- und in der Er-Form" bis zu Aphorismen und Anekdoten[19] –, bedeutet allerdings auch, dass in dieser literarhistorischen Phase ein großer Teil der kleinen Prosaformen poetologisch in den Sog des Prosagedichts gerät. Das Prosagedicht ist um 1900 damit auch die poetologisch dominante Spielart Kleiner Prosa, gewissermaßen das poetologische Kraftzentrum im entstehenden Feld der Kurzprosa.

Im Rahmen einer grundlegenden Verschiebung im Feld der Kleinen Prosa ändert sich dies nach 1900, spätestens aber nach dem Expressionismus mit der Epigonalisierung des Prosagedichts der frühen Moderne und mit der Desintegration des theoretischen Diskurses, der die unterschiedlichen Formen zuvor poetologisch zusammenhielt. Wenn Alfred Polgar die „kleine Form" 1926 als die Form der Moderne preist, bezieht er sich nicht mehr auf das Prosagedicht, sondern auf das Feuilleton und seine Literarisierung – als „poetische Schreibform" kultureller Journalistik mit dem Anspruch, ein „kleines Kunstwerk in Prosa"[20] zu sein. Nun gilt aber auch für das Feuilleton, „daß jedes Thema sich die Form selbst bestimme, in der es geboten wird",[21] und die resultierende Vielfalt der Textformen (von den ‚Skizzen' Ferdinand Kürnbergers und Daniel Spitzers im späteren 19. Jahrhundert bis zu den literarischen Feuilletons Robert Walsers, Alfred Polgars, Kurt Tucholskys oder Walter Benjamins aus der Hochzeit des Feuilletons im ersten Drittel des 20. Jahrhunderts)[22] lässt sich nur in einem funktionalen Gattungsverständnis als Einheit begreifen.[23] Aus seinem medialen Ursprungsort in der Zeitung des 19. Jahrhunderts ist das Feuilleton ‚unter dem Strich' zunächst unterhaltsamer Kontrapunkt der politischen Berichterstattung darüber, wird von literarisch ambitionierten Feuilletonisten jedoch bald zum subtilen Medium kultureller Beobachtung, Kommentierung und Kritik ausgebaut. Die im Kontext der literarischen Moderne entstehenden Poetiken des Feuilletons (als kleiner literarischer Prosaform) stehen zu der Institution der Zeitung und ihren medialen Zwängen dann in einem Spannungs- und Überbietungsverhältnis wie das Prosagedicht (auf ganz andere Weise) zur traditionellen Verslyrik.

Eine vergleichbare Variabilität der Form, in der die Kurzprosa ihre Gattungskonzepte immer wieder neu hervorbringt, statt auf konventionalisierte Gattungsmuster zurückgreifen zu können, gilt schließlich auch für die Aufzeichnung, die aus der Überkreuzung aphoristischer und tagebuchartiger Schreibweisen seit den 1930er Jahren (beispielsweise bei Ernst Jünger und Elias Canetti) entsteht und in den 1970er Jahren zu einem neuen Schwerpunkt der Kleinen Prosa geworden ist. Thomas Lappe hat versucht, ein weitgefächertes Spektrum ganz unterschiedlicher Kurzprosaformen von der aphoristischen Aufzeichnung über das

16

Apophthegma (das spruchartig pointierte und ggf. kommentierte Lektürezitat) bis zur Traumerzählung und zur tagebuchartigen Werkskizze in dem Begriff der ‚Aufzeichnung' zusammenzufassen. Die Aufzeichnung wird von ihm als „eine poetische Kurzform" verstanden, die durch ihre Abgrenzung von Tagebuch, Aphorismus, Essay, Entwurf und Autobiographie sowie durch die Stilmerkmale „Spontaneität, natürliche Kürze, Expositionslosigkeit, Unbestimmtheit und eine behutsame Artifizierung" bestimmt sei.[24] Dieser textlinguistische Ansatz wird jedoch aus ähnlichen Gründen problematisch wie Fülleborns Konstruktion des Prosagedichts: durch sein Verfahren der abgrenzenden Abzirkelung eines disparaten Ausschnitts aus dem Feld Kleiner Prosa zur Begründung einer eigenständigen Textsorte, durch den Versuch einer definitorischen Festlegung gültiger Textmerkmale sowie durch implizite Wertungen („natürliche Kürze", „autonomes Abbild", ‚Authentizität', ‚aufzeichnerisches Denken'),[25] zumal von dem geschichtlichen Ort der Aufzeichnung, von ihren unterschiedlichen Traditionslinien und von ihrer Interaktion mit anderen Kurzprosaformen (vor allem in der Gegenwart) abstrahiert wird.

Gegen solche Versuche, einzelne Spielarten Kleiner Prosa im traditionellen Sinne als Gattungen zu konstruieren (und damit jenseits des gewählten Ausschnitts zugleich einen unklaren ‚Rest' anderer Kurzprosaformen zu produzieren), wird hier ein neuer Ansatz zur Theoretisierung Kleiner Prosa vorgeschlagen, der die Beobachtungen zum Prosagedicht der frühen Moderne, zum Feuilleton und zur Aufzeichnung – Variabilität der Form, Überschreitung je historisch relevanter Gattungsgrenzen, poetologische Begründung der Gattungskonzepte in vielfältigen Autorpoetiken – zum Ausgangspunkt nimmt. Die Vielfalt der Kurzprosa-Spielarten und deren mannigfaltige Interferenz und Metamorphose im Prozess der Moderne machen eine Katalogisierung moderner Kurzprosa nach trennscharfen Gattungsbegriffen mit klar definierten Merkmalkomplexen unmöglich. Stattdessen ist im Gefolge des französischen Prosagedichts (und anderer, deutschsprachiger Traditionen Kleiner Prosa) im ausgehenden 19. Jahrhundert die Ausbildung eines Feldes kleiner Prosaformen mit vielfältigen Schreibweisen, unterschiedlichen Verdichtungszonen und stabilisierenden Traditionslinien festzustellen, dessen Verschiebungen und Umbrüche sich bis in die Gegenwart verfolgen lassen und dessen Grundzüge in dem historischen Teil dieser Einführung nachgezeichnet werden sollen. Gemeinsam ist den einzelnen Spielarten, dass sie traditionelle Gattungsgrenzen und Literaturbegriffe unterlaufen und in Frage stellen, dass sie Merkmale anderer, vor allem älterer Gattungen experimentell in neue Schreibweisen überführen und solche (bildhaften, reflexiven, narrativen) Verfahren vielfältig modellieren und kombinieren. Sie haben damit die Chance (aber auch die Verpflichtung), ihre eigene Poetik in der Auseinandersetzung mit moderner Wirklichkeitserfahrung und den sozial- und mediengeschichtlichen Bedingungen literarischer Produktion immer wieder neu hervorzubringen.

Diese experimentelle Suche vieler Autoren Kleiner Prosa nach Schreibweisen jenseits der jeweils etablierten Gattungsmuster und literarischen Konventionen ist nicht zuletzt ein produktives Erbe der so genannten Sprachkrise der frühen Moderne, d. h. der Reflexion des Zusammenhangs zwischen dem epistemologischen und kulturgeschichtlichen Umbruch um 1900, der entsprechenden Erosion des liberalen Begriffs vom autonomen Subjekt und ‚ganzen Mann‘[26] sowie deren Konsequenzen für die Literatur im Medium der Sprachreflexion und Sprachskepsis. Paradigmatisch hat Hugo von Hofmannsthal in seinem Chandos-Brief die Krisenerfahrung zum Ausdruck gebracht, dass das moderne Subjekt plötzlich völlig aus seiner gewohnten Lebens- und Sprachwelt herausfällt und „die Fähigkeit" verliert, „über irgendetwas zusammenhängend zu denken oder zu sprechen", da ihm alle Aussagen, Urteile und Zusammenhänge fragwürdig werden.[27] Da der „vereinfachende Blick der Gewohnheit" nicht mehr greift, zerfallen Chandos zunächst „die abstrakten Worte", dann auch alle anderen „im Munde wie modrige Pilze": „Es zerfiel mir alles in Teile, die Teile wieder in Teile, und nichts mehr ließ sich mit einem Begriff umspannen."[28] Bezeichnenderweise stellt Hofmannsthal diese umfassende Sprach- und Identitätskrise in der kleinen Form eines Briefes dar, fängt sie also nicht in den geläufigen Strukturmustern des (Bildungs-)Romans oder der Novelle auf. Allerdings steht der dargestellten Sprachkrise hier der geschliffene Stil einer literarischen Gestaltung gegenüber, die sich noch gegen die Konsequenzen ihres Sujets sperrt.[29] Andere Autoren Kleiner Prosa in den Avantgarden der frühen Moderne (vom Symbolismus bis zum Expressionismus) übersetzen die Sprachkrise der Jahrhundertwende dagegen in innovative sprachliche Verfahren, die sich kritisch mit der vorgefundenen, als restriktiv verworfenen Sprache der Gesellschaft und ihrer Literatur auseinandersetzen. Seit der neuerlichen Krise der tradierten Repräsentationsverfahren in den 1960er Jahren hat die Kleine Prosa der Gegenwart hier angeschlossen und das Experiment mit dem sprachkritischen Entwurf neuer Schreibweisen im Medium der kleinen Form fortgesetzt.

Diese experimentelle Bewegung, die immer wieder neu über jeweils konventionalisierte Gattungs- und Schreibmuster hinausführt, stellt freilich besondere

Lektüreanforderungen. Die Kleine Prosa der Moderne setzt mithin auch eine spezifisch moderne Lesekultur voraus (und provoziert sie zugleich), indem die Offenheit ihrer Form und die ständige Innovation ihrer Poetiken den aktiven Leser und die partizipierende bzw. weiterdenkende Lektüre fordert. Seit dem Prosagedicht und den Prosaskizzen der frühen Moderne bewährt sich die Kleine Prosa in der von ihr gestalteten und reflektierten Dynamisierung der Erfahrungsmuster, Wissensbestände und Denkmodelle als Experimentalform der literarischen Moderne, und ihre anhaltende Produktivität beruht nicht zuletzt auf ihrer Funktion als Reflexionsmodell von Grundfragen der Lebenswelt, des Identitätsverständnisses und des Schreibens unter den Bedingungen des Modernisierungsprozesses – bis hin zur Marginalisierung literarischer Kultur in der Mediengesellschaft der Gegenwart.

Das zu Beginn der Moderne entstehende Feld Kleiner Prosa besitzt seine Vorläufer in der Poetik kleiner Formen spätestens seit dem 18. Jahrhundert. Schon für den Aphorismus, der im späteren 18. Jahrhundert (bei Georg Christoph Lichtenberg oder bei den Frühromantikern Friedrich Schlegel und Novalis) zur zentralen Form kleiner Reflexionsprosa wird, ist die Überschreitung der Grenze zwischen Philosophie und Literatur konstitutiv, und er gewinnt aus dieser Grenzüberschreitung einen Spielraum der Formen und Problemstellungen, der sich nicht mehr normativ festschreiben oder auf ein bestimmtes literarhistorisches Vorbild festlegen lässt. Zugleich besitzt die kleine Form im Aphorismus programmatischen Charakter, indem sie im Rückgang auf die Erfahrungen des reflektierenden Subjekts tradiertes Wissen in Frage stellt und herrschende Diskurse und Denkmuster aufsprengt. Der Aphorismus bezieht seine Prägnanz daher gerade aus der Entgegensetzung gegen die großen Formen philosophischer und literarischer Prosa, mit denen er konkurriert; er unterbietet die systematische Argumentation der großen Abhandlung ebenso wie die narrative Kohärenz autobiographischer Retrospektive.

Ähnlich gerichtete Poetiken der kleinen Form finden sich jedoch bereits früher, beispielsweise, wie Thomas Althaus gezeigt hat, in den Exempel- und Schwanksammlungen der frühen Neuzeit, in denen ebenfalls „das Verschiedenste nebeneinander" steht und die unterschiedlichen Formen (wie Schwank, Fabel und Sprichwort) ineinander übergehen können.[30] Die Poetik der „Kurzweil", die diese Kleine Prosa trägt, weist ihr schon hier die Funktion einer „Negation der herkömmlichen Diskurse", einer „Ausstellung ihrer Unangemessenheit" zu.[31] Eine genauere Rekonstruktion der Traditionslinien und Umbrüche in der Geschichte Kleiner Prosa von der frühen Moderne über den Aphorismus des späten 18. Jahrhunderts und die ‚Skizzen' des 19. Jahrhunderts bis zur Kurzprosa der Moderne steht noch aus.

Im literarhistorischen Überblick über die Geschichte kleiner Prosaformen vor und in der Moderne wird allerdings auch deutlich, dass das so grundlegende Kriterium der Kürze (als der offensichtlichste formale Ausweis der Kleinheit und scheinbaren Marginalität dieser Prosaformen in den Literatursystemen ihrer jeweiligen Zeit) historisch und poetologisch relativ ist. Die Kurzgeschichte der Nachkriegszeit (nach 1945) beispielsweise ist programmatisch gegen die konventionalisierten Erzählstrukturen und die relative Länge der Novelle entworfen, und doch entstehen in einer weiteren experimentellen Auflösungsbewegung seit Heimito von Doderers „Kürzestgeschichten" (1955) Minimalerzählungen, die auch die Kurzgeschichte noch einmal unterbieten. Was jeweils als ‚klein' und ‚kurz' zu gelten hat, bestimmen also der literarische Diskurs der Zeit und die poetologische Begründung der jeweiligen Form. Bis in die Kurzprosawerke einzelner Autoren hinein lassen sich in der Kleinen Prosa der Moderne im Zuge poetologischer Entwicklungen im Übrigen (beispielsweise bei Kaschnitz und Botho Strauß) Verknappungs- und Erweiterungsbewegungen verfolgen, welche die ständige Arbeit an den Möglichkeiten der kleinen Form reflektieren.

Schließlich besitzt die Geschichte Kleiner Prosa auch eine mediengeschichtliche Dimension, die in der Diskussion um das Feuilleton bereits angeklungen ist. Der Bedarf der Zeitungen an journalistischer Kurzprosa vor allem im späteren 19. und in der ersten Hälfte des 20. Jahrhunderts spielt für die Durchsetzung der „kleinen Form" in der Moderne eine nicht unwesentliche Rolle. Ohne diesen Hintergrund sind insbesondere die literarischen Überbietungsformen des Feuilletons (von Robert Walser bis zu Walter Benjamin) kaum zu denken. Diese mediale Bindung an Zeitung und Zeitschrift wirkt in verringertem Maße (und je nach Kurzprosa-Spielart) bis heute fort, nicht zuletzt in der Funktion von Literaturzeitschriften und Literaturmagazinen als Erstpublikationsorten für Kleine Prosa. Daneben steht aber von Anfang an (nicht zuletzt schon für das Prosagedicht der frühen Moderne) die Sammlung von Kurzprosatexten in Buchform – eine Tradition, die sich faktisch bis zu den Exempel- und Apophthegmensammlungen der frühen Neuzeit und zu den Aphorismensammlungen der Lichtenberg-Nachfolge zurückverfolgen lässt. Seit Altenbergs erstem Buch „Wie ich es sehe" (1896), seit Musils „Nachlaß zu Lebzeiten" (1936) und Benjamins „Einbahnstraße" (1928) sind für die Moderne Kurzprosabände charakteristisch, die einer spezifischen Autorpoetik gehorchen und in denen die (prinzipiell selbständigen) Einzeltexte daher miteinander in Beziehungs- und Spiegelungsverhältnisse treten – bis hin zur Reihen- und Zyklenbildung, zu seriellen oder kontrapunktischen Anordnungen und anderen Formen der Bandkomposition. Mehr als nachträgliche Textsammlungen (z. B. zuvor in Zeitungen veröffentlichter Feuilletons) potenzieren solche komponierten Kurzprosabände die für die Kleine Prosa konstitutive Infragestellung herrschender Wahrnehmungs-, Denk- und Schreibmodelle noch einmal auf einer zweiten Ebene, indem sie – in pointiertem Gegensatz zu linearen Strukturmustern (wie das Erzählen, das Argumentieren oder die Tagebuchchronologie) – zur querbezüglichen Lektüre anregen. Aus der Perspektive beobachtender und empfindender, sich erinnernder und reflektierender Subjekte entwerfen solche Bände Kleiner Prosa ästhetische Reflexionsräume moderner Selbst- und Wirklichkeitserfahrung, die aus der Spannung zwischen Einzeltext und Bandzusammenhang leben und zu offenen Rezeptions- und Reflexionsprozessen einladen.

3. Formen im Feld der Kleinen Prosa

Schon das Prosagedicht der frühen Moderne realisiert sich in ganz unterschiedlichen Textformen, die gleichwohl durch eine gemeinsame Poetologie verbunden sind. Das im ausgehenden 19. Jahrhundert entstehende Feld der Kleinen Prosa weist entsprechend vielfältige, mehr oder weniger dauerhafte Spielarten – vom Prosagedicht über die emblematische Prosaskizze bis zu aphoristischen, essayistischen und tagebuchartigen Aufzeichnungen sowie narrativen Formen – auf, die jedoch nicht den Status eigenständiger Gattungen besitzen. Die Unschärfen der Genrebegrifflichkeit für diese kleinen Formen, die die Erforschung der modernen Kurzprosa zusätzlich erschwert haben, spiegeln nicht zuletzt die geschichtliche Dynamik eines Gattungsfeldes, das sich in der Überführung tradierter Gattungsmerkmale in neue, gattungstranszendierende Schreibweisen sowie in der experimentellen Kombination solcher Schreibweisen beständig weiterentwickelt. Auf dem Weg vom Prosagedicht des Fin de siècle über die ‚Denkbilder‘ der 1930er Jahre bis zur Aufzeichnungsprosa der Gegenwart – um nur einige der Schwerpunkte dieser Gattungsentwicklung zu nennen – verändern sich sowohl die Spielarten mit längerer historischer Reichweite als auch das Verhältnis der einzelnen Schreibweisen zueinander. Der folgende Versuch einer Typologie einiger rekurrenter Formen moderner Kurzprosa wird daher dieser historischen Variabilität des Textfeldes Rechnung tragen müssen. Größere Kontinuität weisen nur jene kleinen Prosaformen auf, die der Moderne vorausgehen und in unterschiedlicher Weise auf das Feld moderner Kurzprosaschreibweisen Einfluss nehmen, ohne doch vollständig von ihm absorbiert zu werden – namentlich der

Aphorismus, der Essay und die Anekdote. Der nachstehende typologische Aufriss konzentriert sich dagegen auf solche Spielarten, die für die Geschichte Kleiner Prosa seit dem ausgehenden 19. Jahrhundert von zentraler Bedeutung sind.

3.1. Prosagedicht

Dem Begriff des Prosagedichts eignet heute eine Unschärfe, die das Resultat seiner Geschichte seit der Begründung des französischen poème en prose durch Charles Baudelaire, aber auch das Ergebnis einer Literaturkritik und Literaturwissenschaft ist, die das Prosagedicht oft lediglich als moderne Sonderform poetischer Prosa verstanden hat.[32] Wo der Begriff von dem doppelten Grenzübertritt zwischen Lyrik und Prosa bzw. Poesie und Alltagssprache und der damit verbundenen Subversion des historischen Gattungs- und Literaturverständnisses gelöst wird und der Blick sich stattdessen auf die Vielfalt der Textformen bei Baudelaire sowie bei seinen europäischen und deutschsprachigen Nachfolgern richtet, wird das Prosagedicht geradezu zum Synonym für Kleine Prosa schlechthin. Wenn beispielsweise Marie Luise Kaschnitz ihre Suche nach der konzentrierten Form der kleinen Prosaskizze (in Abgrenzung vom Tagebuch einerseits und der Kurzgeschichte andererseits) an dem Begriff des Prosagedichts orientiert,[33] wenn Hans-Jürgen Heise Texte seines Bandes „Nachruf auf eine schöne Gegend" (1977), die dort die weite Genrebezeichnung „Kurzprosa" führen, in seiner Gedicht- und Prosa-Sammlung „Einhandsegler des Traums" (1989) als „Prosagedichte" wieder abdrucken kann, oder wenn Walter Helmut Fritz in der Serie seiner Bände mit „Gedichten und Prosagedichten" für die Texte seines Bandes „Cornelias Traum" (1985) die Bezeichnung „Aufzeichnungen" verwendet, obwohl sie zweifellos derselben Poetologie gehorchen wie seine „Prosagedichte", dann zeigen diese Beispiele zur Genrebegrifflichkeit der Gegenwartsautoren exemplarisch, wie unklar der Begriff Prosagedicht im Gefolge der vielfältigen Erscheinungsformen seit der frühen Moderne und der damit verbundenen Bedeutungserweiterung geworden ist.

Daneben steht jedoch eine zweite Tradition der Begriffsverwendung, die das Prosagedicht weiterhin an den ursprünglichen Impuls einer Erweiterung lyrischer Ausdrucksmöglichkeiten durch die Überschreitung tradierter Gattungsgrenzen bindet und den Abgrenzungsbezug zur Verslyrik als konstitutiv ansieht. Dieses zweite Verständnis des Prosagedichts reicht literarhistorisch deutlich über das Ende des poetologischen Diskurses um das Prosagedicht in der frühen Moderne hinaus. Auch nach dem Geltungsverlust der von Baudelaire initiierten funktionalen Poetik des Prosagedichts, also nach dem Expressionismus,[34] bleibt die Möglichkeit lebendig, ‚Gedichte in Prosa' zu schreiben, die an der Neuvermessung der Grenze zwischen Verslyrik und Kleiner Prosa weiterarbeiten. Solche Grenzgänge beweisen ihre experimentelle Produktivität insbesondere wieder in der Krise des ‚bürgerlichen' Literatursystems am Ende der Nachkriegszeit, in den 1960er Jahren (etwa bei Johannes Poethen, Rose Ausländer oder Kaschnitz) und sind auch seither (z. B. bei Sarah Kirsch, Anne Duden, Hans-Jürgen Heise, Walter Helmut Fritz, Gisela von Wysocki oder Christoph Wilhelm Aigner) produktiv geblieben.

Der Abgrenzungsbezug zur Lyrik, der die Innovationsentwürfe des Prosagedichts begründet, kann sich entweder in der signalhaften Verwendung des Begriffs ‚Prosagedicht' als Genrebezeichnung der Texte manifestieren, insbesondere dort, wo Versgedichte und Prosagedichte in Sammlungen nebeneinander stehen, oder aber in der Struktur der Texte selbst, indem sie sich – in Anlehung an die für die Lyrik der Moderne charakteristische „bewußte, künstliche Formung und Strukturierung der Sprache"[35] – sprachlich als ‚Gedichte in Prosa' präsentieren. Solche sprachliche Überbietung der Alltagsprosa arbeitet vor allem mit Rhythmisierung und Klangverdichtung (Alliteration, Assonanz), mit Abweichungen von den Regeln der Syntax und Zeichensetzung, mit metaphorischer Verdichtung und Überhöhung der Bildsprache, mit semantischen Ellipsen sowie anderen, im jeweiligen literarhistorischen Kontext als poetisch konnotierten stilistischen Mitteln (elegische Klage, hymnischer Anruf, spezifische Wortwahl u.a.). Diese sprachlichen Verfahren zwingen durchweg zu einer Verlangsamung der Lektüre sowie ggf. zur rekursiven Erprobung vielschichtiger Semantisierungen und sie lenken die Aufmerksamkeit damit zugleich auf die Sprachgestalt der Texte. Ähnlich fungiert ja auch die Verwendung der Genrebezeichnung Prosagedicht nicht zuletzt als eine Lektüreanweisung, die den Leser auffordert, diese Texte mit der gleichen Intensität zu lesen wie herkömmliche Gedichte.

Ein Beispiel bietet die erste Gedichtsammlung „Ultraviolett" (1893) des Lyrikers und Erzählers Max Dauthendey (1867-1918), die in der für die 1890er Jahre charakteristischen Weise Versgedichte und Prosagedichte verbindet. Darunter findet sich (als kürzestes Prosagedicht) die folgende Kontrafaktur des romantischen Topos der Naturmusik, der im Lied zum Menschen sprechenden Natur:

Chorgesang
Stimmblumen eine tauhelle Wiese voll. Und der Frühhauch
treibt sie in gelben Scharen zusammen. Ein See, grün und
violett, und das silberne Herzpochen der Wellen.
Auf einer Klippe ein Weib. Steil, mager aller Wollust ent-
kleidet. Bleiche Verhärmtheit liegt wie ein strenges Gewand
an diesen dünnen, blauen Gliedern.
Eine Luftsäule saugt sich zum Himmel. Ein gerades hochge-
recktes Greifen. Die Augen zurückgebeugt, weit, daß die Iris
fast hinter die Lider taucht, und das Weiße in verzehrendem
Weiß.
Ein schwächlich rankendes Wimmern. Aber doch Rubinmark
in weißen durchsichtig zitternden Dämpfen.
Dann schließt sich das alles. – Weich, lau wie graue samtne
Blütenblätter zum Sonnenschlummer gefaltet.
Ein Schluchzen quillt aus der Erde. Warme Tränen quellen.
Die Starre und die Steile zerfließen.[36]

In diesem Prosagedicht setzt Dauthendey allegorisie-
rend eine naturalistisch anmutende Figur in das Zitat
einer romantischen Naturszene, die freilich mit dem
monistischen Blick der Jahrhundertwende inszeniert
wird. Gegen das lyrische Eingangsbild einer friedlich-
lebendigen Naturlandschaft steht im zweiten Absatz in
scharfem Kontrast die Gestalt einer Frau, deren Magerkeit, „Verhärmtheit" und Strenge nicht nur poetischen Schönheitsvorstellungen widerspricht, sondern
geradezu ein existentielles Leiden des von der Natur
entfremdeten (modernen) Menschen verkörpert. Der
lyrische Vorgang steigert zunächst den Ausdruck des
Leidens bis an die Grenze des Wahns (das ‚hochge-
reckte Greifen' der Arme ins Leere, die verdrehten
Augen, das nicht eindeutig zugeordnete Wimmern),
um den Moment der Krise dann aber sich lösen zu lassen, indem das „Schluchzen" der Erde zum Chor des
Leidens der Frau wird und die Natur den Menschen so
symbolisch wieder in sich aufnimmt.

Schon diese interpretierende Paraphrase verdeutlicht, dass die lyrisierende Verdichtung der Sprache hier vor allem mit antithetischer Bildlichkeit arbeitet. Die Horizontale der Landschaft kontrastiert mit der (heroischen) Vertikale der sich aufreckenden Frau auf der Klippe, die Friedlichkeit und Vitalität der Natur mit ihrem Leid, ihrer unnatürlichen Magerkeit und Strenge, Bewegung und Gesang der Natur mit ihrer Verkrampfung und ihrem sprachlosen ‚schwächlichen Wimmern‘, das Liquide der Natur mit der Verhärtung des Menschen, und es bleibt am Schluss – trotz der Behauptung des Beobachters: „Dann schließt sich das alles." – durchaus unklar, ob die „warme[n] Tränen", die „[d]ie Starre und die Steile zerfließen" lassen, auch jene der Frau sind oder nur die ihres Chores, der empfindsam mitfühlenden Natur. Während traditionelle Poetisierungsmittel wie Rhythmisierung („Aúf einer Klíppe ein Weíb") und Alliteration („Die Steile und die Starre") vergleichsweise sparsam verwendet werden, spielen syntaktische Ellipsen eine um so stärkere Rolle. Der weitgehende Ausfall der Verben unterstreicht die Bildhaftigkeit des Prosagedichts und lässt die wenigen Bewegungsmomente (saugen, greifen, quellen, zerfließen) um so stärker hervortreten. Im Ausdruck der Verzweiflung führen syntaktische Ellipse und Tautologie bis an die Grenze der Sprachlosigkeit („und das Weiße in verzehrendem Weiß"). Typisch für Dauthendeys prosalyrischen Stil sind darüber hinaus der extensive Gebrauch von Farbwerten (grün, violett, silbern, blau, weiß, rubinrot) und Synästhesien (Überblendungen der Wahrnehmungen unterschiedlicher Sinne wie z. B. in den Wendungen „Stimmblumen", „das silberne Herzpochen", „rankendes Wimmern"), die den bildhaften Eindruck hier ins Klangbildliche erweitern. Zugleich sorgt das Gegeneinander von Anthropomorphisierung („Stimmblumen", „Herzpochen der Wellen", „Schluchzen [...] aus der Erde") und Naturalisierung menschlicher Empfindungen – weder das Greifen der Arme noch das Wimmern noch die Tränen sind grammatisch ihrem Subjekt, der Frau, zugeordnet – in irritierender Weise dafür, dass sich der Gegensatz von Natur und Mensch auf einer höheren Ebene auflöst. In Anlehnung an die Neuansätze der gleichzeitigen Physik um 1900 (Ernst Mach) bilden Farben, Bewegungen und Klänge gewissermaßen ihre eigene, die eigentliche Wirklichkeit. Damit weist das poetische Verfahren die vitale Natur und den verzweifelten Menschen als komplementäre Pole *einer* Welt aus.

Die Neubegründung des Prosagedichts in den 1960er Jahren (im Kontext der Krise des ‚bürgerlichen' Literaturverständnisses) ist im Vergleich mit den von Dauthendey repräsentierten frühen Textformen durch eine Verknappung in Umfang und Sprache sowie durch eine entschiedene Entauratisierung, eine thematische und stilistische Annäherung an die alltägliche Lebenswelt und ihre Sprache gekennzeichnet. Ein charakteristisches Beispiel für die veränderte Form des ‚Gedichts in Prosa' seit den 1960er Jahren bietet das folgende Stück aus dem Kurzprosaband „Steht noch dahin" (1970) von Marie Luise Kaschnitz (1901-1974), in dem das Prosagedicht zum Medium der Kultur- und Gesellschaftskritik wird:

Nacktschneckensommer
Nacktschneckensommer, Scheinwerferkegel, Segmente aus Nebelnässe, am Scheibenwischer die emsig beiseitegeschobenen Tränen. Bäume wie Klageweiber Heere von schwärzlichen Garben Wagen in endlosen Zügen die Pässe hinauf entgegen gespenstisch sonnigem Ferienland schneller und schneller weil die Tage schon kürzer werden schneller und schneller weil schon der Sommer vergeht. Überholen ins

Schleudern geraten gegen die Leitplanke prallen o ihr
kopflosen Liebespaare verkohlenden Greise Kinderhände
die noch ein Spielzeug und wenigstens eines wollten wir
doch unsere Ruhe während der Regen die Scheiben der Hagel die Scheiben im Rundfunk die Sendung Ferien auf dem
Balkon.[37]

Dieses Prosagedicht überblendet zwei unterschiedliche
Bildebenen zu einem kritischen Schlaglicht auf die
Wohlstandsgesellschaft der späten 1960er Jahre: Na-
turbilder aus einem verregneten Sommer und (Zei-
tungs- oder Fernseh-) Bilder aus der Welt des motorisierten sommerlichen Massentourismus, von Autobah-
nen, Verkehrsstaus und (auch tödlichen) Unfällen auf
dem eiligen Weg der Westdeutschen über die Alpen in
die Ferienländer des Südens. In grotesker Pointierung
wird dieses sommerliche westdeutsche Urlaubsritual ad
absurdum geführt und mit dem exzentrischen Beob-
achterblick der Außenseiterin kontrastiert, die zu
Hause bleibt und selbstironisch für „Ferien auf dem
Balkon" optiert.

Als Prosagedicht präsentiert sich dieser Text aber
nicht nur durch seine dichte Bildsprache, sondern
auch durch seine übrige sprachliche Durchstrukturie-
rung. Kaschnitz arbeitet hier nicht nur mit traditionellen Poetisierungsverfahren – wie partielle Rhythmisierung, mehrdeutige Motivreihung und elegische
Klage („o ihr kopflosen Liebespaare") –, sondern insbesondere mit einer mehrdeutigen und elliptischen
Syntax, die die Lektüre erheblich verlangsamt und den
Leser zur aktiven, erprobenden und reflektierenden
Rekonstruktion der Satz- und Textstruktur zwingt.
Dies beginnt mit der Ellipse des Verbs im ersten Satz,
dessen Aufzählungselemente jedoch noch durch
Kommata getrennt sind. Im zweiten Satz entfällt diese
Zeichensetzung, die (unvollständige) Syntax bleibt

(auch dank der Rhythmisierung) jedoch noch transparent. Im dritten und letzten Satz dagegen wird die Syntax vollständig ins Schweben gebracht, wenn zunächst ein Relativsatzfragment („die noch ein Spielzeug und wenigstens eines") und ein Hauptsatz („und wenigstens eines wollten wir doch") ineinander geschoben werden, bevor in der abschließenden, durch die temporale und adversative Konjunktion „während" eingeleiteten Einheit der konventionelle Satzbau dann ganz zugunsten eines assoziativen Mosaiks teils kontrapunktischer, teils paralleler Nominalphrasen aufgelöst wird, deren genauer Bezug zueinander vom Leser konstruiert werden muss und nicht mehr grammatisch vorgegeben ist. Mit dieser literarischen Arbeit an der Sprache ist „Nacktschneckensommer" ein schon fast sprachexperimentelles ‚Gedicht in Prosa' und auch seine Überschrift bleibt mehrdeutig, da das Gegen- und Ineinander von Naturbildern und Bildern der Wohlstandsmobilität, das die Textsemantik strukturiert, eine symbolische Bedeutung der Nacktschnecken nahelegt, die jedoch nicht ausgeführt ist. Zugleich aber findet sich dieser Text in dem Band „Steht noch dahin" zwischen ganz anders und unterschiedlich strukturierten kleinen Prosastücken und unterstreicht damit die Zugehörigkeit des jüngeren Prosagedichts zum Feld der modernen Kurzprosa.

Die für die Lyrik kennzeichnende Polysemie und sprachliche Überstrukturiertheit kann im Prosagedicht allerdings auch innerhalb der grammatischen Normen als Modell für eine dichte ästhetische Strukturierung Kleiner Prosa dienen. Ein Beispiel, das in der Bildhaftigkeit seines Gegenstands zugleich die Übergänge zwischen Prosagedicht und Prosaskizze veranschaulicht, bietet der folgende Text von Walter Helmut Fritz (*1929) aus seinem Band „Sehnsucht. Gedichte und Prosagedichte" (1978):

Windscheibe

Halb von Sonne, halb von Schatten gefaßt. Austausch von Tagen und Nächten. Umriß, der ihr nicht ganz gehört, auch nicht dem Raum, der sie umgibt. In leichter Schwingung ruhend neben der Tür. Heimat des Bilds dieser Liebenden, die merken, wie Zeit entsteht, wenn sie zusammen sind, wenn sie einander willkommen heißen.[38]

Die Verdichtung der Beschreibung durch die Ellipse der Verbformen und die Verwendung von Partizipien markiert in Verbindung mit der charakteristischen Intensität der sinnlichen Wahrnehmung eines implizierten lyrischen Ich den Charakter des Texts als Prosagedicht. Das alltägliche Objekt – die Scheibe, die einen Hauseingang oder eine Terrasse vor Wind schützt – wird in seiner materialen Qualität (Glas) wie in seiner Positionierung im Raum als ein transparentes Grenzphänomen wahrgenommen, das Gegensätze zugleich sichtbar macht und aufhebt (Sonne/Schatten, Tag/Nacht, etwas/nichts, Bewegung/Ruhe), um im letzten Satz dann als Spiegel und Erinnerungszeichen der Liebe (und der sozialen Begründung des Zeitempfindens in der Liebe) metaphysisch überhöht zu werden. Das Prosagedicht verwandelt den Gebrauchsgegenstand „Windscheibe" mithin zuerst in ein ästhetisches Objekt und dann in ein soziales Zeichen mit metaphysischen Konnotationen (Liebe und Zeit), wobei die Transparenz des Glases zugleich die Vergänglichkeit des Glücks chiffriert, das ausgerechnet diese Materie als „Heimat" bewahren soll. Die Konzentration auf eine Augenblickswahrnehmung und die Textbewegung von der Objektbeschreibung zur überraschenden bildhaften und metaphysischen Überhöhung verbinden dieses Prosagedicht nun aber strukturell mit einer anderen Hauptlinie der modernen Kurzprosa,

33

der (emblematischen) Prosaskizze, für die genau diese Merkmale kennzeichnend sind. Das Beispiel exemplifiziert mithin die fließenden Übergänge zwischen Prosagedichten und anderen Kurzprosaformen und damit grundsätzlich das Zusammenspiel der Schreibweisen in dem historisch entstandenen Feld der Kleinen Prosa.

3.2. Prosaskizze

Der Begriff der Prosaskizze ist zunächst kaum weniger unscharf als derjenige des Prosagedichts, auch wenn er als weniger problematisch gelten kann, da sich mit ihm bislang keine spezifische Gattungspoetik und kaum ein Versuch einer literarhistorischen Gattungskonstruktion verbindet.[39] Oft wird der Begriff der Prosaskizze als Bezeichnung für beliebige Texte Kleiner Prosa verwendet, für die sich keine spezifischere Zuordnung anbietet. Allerdings findet sich der Begriff ‚Skizze‘ bereits im 19. Jahrhundert als Bezeichnung für essayistische oder erzählende Formen kleiner Prosa, die sich durch diesen nicht-kanonisierten Genrebegriff den Normen der herrschenden Ästhetik und ihrer (Groß-)Gattungen entziehen und typischerweise Bilder des kulturellen und gesellschaftlichen Alltags entwerfen.[40] Im Anschluss an diese Tradition sowie an das metaphorische Potential des Skizzenbegriffs – die Unterbietung gültiger Gattungsnormen im Gestus der Entwurfshaftigkeit und die Orientierung an der Skizzentechnik der bildenden Kunst – bietet sich der Begriff ‚Prosaskizze‘ im Kontext moderner Kurzprosa für solche Formen an, in denen bildhafte Augenblickseindrücke bzw. die bildhafte Veranschaulichung moderner Wirklichkeitserfahrung im Mittelpunkt stehen.

Solche bildhaften, oft sinnbildlich überhöhten Prosaskizzen mit ihrer charakteristischen Verschränkung von Anschauung und Reflexion spielen im Feld der Kleinen Prosa seit der Moderne eine zentrale Rolle. In Anlehnung an die entsprechende Verknüpfung von „Gedanke und Anschauung"[41] im barocken Emblem (einer intermedialen Verbindung von illustrierendem Bild und kommentierendem Text „mit allegorischer Grundstruktur")[42] hat Walter Benjamin für seine kleinen Prosastücke den Begriff ‚Denkbild' eingeführt, der sehr genau das Gemeinsame dieser Kurzprosatexte bezeichnet: „sie enthalten einen konkreten Sachverhalt (Bild) und eine daran anknüpfende Reflexion (Denken)"[43]. Wenn die Prosaskizzen mit Überschriften versehen sind, können Bild, Reflexion und Überschrift ein spannungsvolles Sinngefüge bilden, das an die emblematische Triade von inscriptio (überschriftenartiger Inschrift), pictura (Bild) und subscriptio (unter das Bild gesetztem Kommentar, oft in der Form eines Epigramms) erinnert.[44] Entscheidend ist allerdings nicht die formale Abgrenzung der drei Bedeutungskomponenten, deren literarische Äquivalente sich vielmehr ganz unterschiedlich kombinieren lassen,[45] sondern das spannungsvolle Zusammenspiel bildhafter und reflexiver Momente in der Komposition solcher Kurzprosatexte.[46] Wo das Emblem der frühen Neuzeit als eine Form didaktischer Literatur darauf zielt, „modellhaft die Richtigkeit einer Maxime menschlichen Handelns" zu demonstrieren,[47] sind die emblematischen Schreibweisen moderner Kurzprosa umgekehrt auf der Suche nach einer Neuentdeckung der Wirklichkeit angesichts des Geltungsverlusts tradierter Wissens- und Sinnordnungen. Allerdings kann die (im metaphorischen Sinne) emblematische Veranschaulichung und Reflexion des Signifikanten im Alltäglichen[48] durchaus weiterhin moralische Dimensionen besitzen.

Die wichtige Rolle der Prosaskizze in der Entstehung und Entwicklung moderner Kurzprosa hängt mit ihrer Funktion als literarisches Medium spezifisch moderner Wahrnehmung zusammen. Die Entstehung und Entwicklung von Gattungen reagiert nicht nur auf Konflikte im Literatursystem, sondern zugleich auf neue epistemologische Problemstellungen und kulturelle bzw. gesellschaftliche Umbrüche. So eignet der Kleinen Prosa seit ihren Anfängen im Prosagedicht Baudelaires eine spezifische Affinität zum ‚Augenblick‘ in seiner (im Deutschen) doppelten Bedeutung als Kategorie des Zeitempfindens und der visuellen Wahrnehmung mit ihren epistemologischen Implikationen. Einerseits kann die Kürze der Prosastücke die kurze Dauer des vorübergehenden Zeitmoments spiegeln, und die poetische Verdichtung solcher Augenblicksdarstellungen vermag der Intensität seines Erlebens Ausdruck zu verleihen, bis hin zu ekstatischen metaphysischen Momenten und zu kulturkritischen Gegenentwürfen gegen die Rationalisierung der Zeit im Modernisierungsprozess. Insofern ist der bildhaften Prosaskizze immer auch eine Poetik der Zeiterfahrung und des Zeitbewusstseins eingeschrieben.

Andererseits hat Baudelaire mit dem Blick des Flaneurs ein Wahrnehmungsmodell in die moderne Kurzprosa eingeführt, das über Peter Altenberg und Walter Benjamin bis zu Botho Strauß und anderen Gegenwartsautoren im transitorischen, aber aufmerksamen Blick auf das Alltägliche und scheinbar Marginale das Charakteristische und Signifikante der modernen Welt erkennt. Dieses Modell, das angesichts des Geltungsverlusts metaphysischer Ordnungen und anderer ‚Großerzählungen‘ vorgeprägte Wahrnehmungs- und Deutungsmuster gezielt unterläuft, kann im Sammeln signifikanter Augenblicke autobiographischer Zufälligkeit folgen, es kann aber auch poetologisch als Methode einer literarischen Phänomenologie moderner Wirklichkeit systematisiert werden, wie dies auf ganz verschiedene Weise bei Musil, Benjamin und Strauß geschieht, oder es kann der Entdeckung natürlicher oder imaginärer Gegenwelten dienen (wie bei Sarah Kirsch und Christoph Wilhelm Aigner). In jedem Fall begünstigt dieses Wahrnehmungsmodell die literarische Darstellung (oder Vorstellung) bildhafter Augenblickseindrücke in der Form von Prosaskizzen, die die Begegnung von Subjekt und Wirklichkeit in die literarische Verschränkung von Anschauung und Reflexion, Vorstellungsbild und kommentierender Deutung übersetzen. Damit ist der Ansatzpunkt für jene emblematischen Strukturen gegeben, die den Prosaskizzen die Funktion von ,Denkbildern' moderner Wirklichkeitserfahrung verleihen, auch wenn sie nicht streng jenem Strukturmodell folgen, das sich mit diesem Begriff bei Walter Benjamin verbindet.

Ein knappes Beispiel für die emblematische Strukturierung einer Prosaskizze als ,Denkbild' moderner Wirklichkeitserfahrung bietet das folgende Stück aus der Sammlung „Kafkas Hund oder Der Verwirrte im Sonntagsstaat" (2001) von Heiner Feldhoff (*1945):

Zwischenzeit

An der Kasse des Supermarkts. Während der Computer etwa sechs Sekunden benötigt, um meine Kreditkarte freizugeben: die automatisch verträumten Augen der Kassiererin. Eine Zwischenzeit, in der die junge Frau und nun auch ich, sie anschauend, auf einmal einfach da sind, bloß so und völlig umsonst.[49]

Auf die tagebuchartige Verortung des dargestellten Augenblicks im Alltagsleben des schreibenden Ich folgt die knappe Benennung eines bildhaften Eindrucks („die automatisch verträumten Augen der Kassiererin"), dessen Sinnbildlichkeit dann unmittelbar kommentiert wird. In scharfem Kontrast zur Rationalisierung der Zeit in der technologisierten Welt der spätkapitalistischen Arbeits- und Konsumgesellschaft wird der Augenblick der Wartezeit als ekstatisch erlebt und verwandelt die Darstellung einer beiläufigen Alltagssituation so in ein Denkbild moderner Wirklichkeitserfahrung – der vorübergehenden Befreiung aus gesellschaftlichen Zwängen, die dem Träumen und dem bloßen, zweckfreien ‚Dasein' sonst keinen Raum mehr gewähren. In diesem Augenblick, der hier emphatisch in seiner doppelten Bedeutung als Zeitmoment und Blick gefasst ist, produziert die gesellschaftliche Rationalisierung der Zeit durch die Mängel ihrer Technik ironischerweise selbst das ekstatische Erlebnis ihrer verdrängten Kehrseite in der menschlichen Natur. Die Ausstellung des Begriffs „Zwischenzeit", der diese Sinnbildlichkeit zusammenfasst, als Überschrift des Textes unterstreicht die Orientierung an der triadischen Struktur des Denkbilds Benjaminscher Prägung.

Allerdings ist emblematische Kurzprosa nicht auf die Verwendung von Überschriften angewiesen. Ein Beispiel für prägnante sinnbildliche Strukturierung ohne Überschrift bietet die folgende Skizze aus dem ersten Kurzprosaband „Paare, Passanten" (1981) von Botho Strauß (*1944), einem der wichtigsten Autoren Kleiner Prosa in der Gegenwart:

Ich sah aus dem Auto in einer Passantenschar, die die Kreuzung überquerte, die geliebte N., mit der ich – einst! seinerzeit! damals! – gut drei Jahre lang die gemeinsamen Wege ging, sah sie über die Fahrbahn schreiten und auf irgendeine Kneipe zuhalten. Ihr Kopf, ihr braunes gescheiteltes Kraushaar. Und das ist dieselbe, die ich im Tal von Pefkos auf Rhodos, als wir von verschiedenen Enden des Wegs über die

Felshügel einander entgegengingen, so bang erwartet habe, in Sorge, es könne sie jemand vom Wegrand her angefallen und belästigt haben, da sie nicht und nicht erschien am Horizont. Das ist dieselbe Geliebte. Im halben Profil flüchtig erblickt, indem sie dahinging und ich vorbeifuhr. Mir ein unfaßliches Gesetz, das so Vertraute wieder in Fremde verwandelt. Verfluchte Passanten-Welt![50]

Das Erlebnissubstrat dieses Textes ist die Erinnerung eines männlichen Ich an eine einstige Lebensgefährtin und den gemeinsamen Urlaub auf der griechischen Insel Rhodos angesichts einer überraschenden, durch den Großstadtverkehr zugleich ermöglichten und verhinderten Wiederbegegnung im Alltag der Gegenwart. Was in anderer Form Gegenstand einer Tagebuchaufzeichnung sein könnte, bringt hier als genau komponierte emblematische Prosaskizze sinnbildlich jene Anonymisierungsprozesse in der westdeutschen Gesellschaft der 1970er Jahre zur Anschauung, die als ein Beispiel für ‚Verwandlungen‘ der sozialen Welt in der späten Moderne eines der Leitthemen von Strauß' Kurzprosa sind. Die bildhafte Darstellung eines herausgehobenen Augenblicks – des flüchtigen, unerwiderten Blicks des Autofahrers auf die einstige Geliebte in der „Passantenschar“ (der literarischen Entsprechung der emblematischen pictura) – mündet über die Reflexion des „Gesetzes“ moderner Sozialität, die verstörende Rückverwandlung von Vertrauten in Fremde (dem literarischen Analogon der subscriptio), in einen pointierenden Fluch, der gewissermaßen die Funktion einer nachgetragenen Überschrift (inscriptio) besitzt und zugleich durch die rahmende Wiederaufnahme des Passanten-Motivs den ekstatischen Charakter des dargestellten Augenblicks kompositorisch unterstreicht.

Ihre Komplexität erreicht die Skizze jedoch erst durch die kontrapunktische Einlagerung des erinnerten Augenblicks einstiger Gemeinsamkeit in der Textmitte. Die Vergangenheit kontrastiert mit der Gegenwart, die ländliche griechische Insel mit der modernen Großstadt, das Aneinandervorbeilaufen im Stadtverkehr mit dem früheren Aufeinanderzugehen, die Nicht-Erwiderung des Blicks mit der liebevollen Sorge, die jetzige Entfremdung mit der einstigen Gemeinsamkeit, und doch besteht zwischen der bangen Erwartung des erinnerten Urlaubsaugenblicks, in dem die Geliebte „nicht und nicht erschien am Horizont", und der Nichterwiderung des Autofahrerblicks durch die Vorbeigehende in der Gegenwart eine untergründige Entsprechung unerfüllten Glücks. Die – Zweifel ausdrückende und zugleich nochmals rahmende – Wiederholung der Bekräftigung „Das ist dieselbe Geliebte" unterstreicht das Geflecht von Gegensätzen und Analogien, die Vergangenheit und Gegenwart zugleich trennen und verbinden und darin auch das „Gesetz" der Zeit, den Wandel, veranschaulichen. Die emblematische Prosaskizze gestaltet den erlebten Augenblick als literarische Reflexion auf die soziale Anthropologie der (post-)modernen Gesellschaft.

3.3. Narrative Kurzprosa

Der Begriff ‚Kurzprosa' wird heute weithin noch immer als Synonym für die Kurzgeschichte verstanden, die vor allem in dem Jahrzehnt nach 1945 eine zentrale Gattung moderner Erzählkunst darstellt.[51] Allerdings steht die Kurzgeschichte, die sich im deutschsprachigen Raum durch ihr Abgrenzungsverhältnis von der traditionellen Erzählform mittlerer Länge, der Novelle, definiert, eher am Rande des hier betrachteten Gattungsfeldes, zumal sie in der Nachkriegszeit eine eigenständige Gattungspoetik ausbildet. Von entscheidender Bedeutung für das Zusammenspiel der Schreibweisen im Feld der Kleinen Prosa in der Nachkriegszeit und Gegenwart sind dagegen die Auflösungs- und Unterbietungsformen der Kurzgeschichte, die im Gefolge von Heimito von Doderers „Kürzestgeschichten" (1955) oft (gerade auch in didaktischer Literatur) als Kürzestgeschichten bezeichnet werden.[52] Allerdings tendiert dieser Begriff ebenso wie die Termini ‚Prosagedicht' und ‚Prosaskizze' dazu, auf ganz unterschiedliche (narrative) Formen Kleiner Prosa ausgeweitet zu werden, und auch seine historische Beschränkung auf die jüngeren Phasen der Gattungsgeschichte lässt ihn nicht als übergreifende Bezeichnung für die narrativen Formen moderner Kurzprosa geeignet erscheinen.

Narrative Kleinstformen je historisch unterschiedlicher Ausprägung entstehen im Feld der Kleinen Prosa jedoch seit der frühen Moderne, indem sie die jeweils dominanten Modelle des Erzählens (vom Roman und der Novelle bis zur Kurzgeschichte) pointiert unterbieten, mit den Minimalformen des Erzählens experimentieren und sich ggf. mit anderen Spielarten der Kleinen Prosa (wie dem Prosagedicht, der Prosaskizze und der tagebuchartigen Aufzeichnung) berühren. Schon unter den vielfältigen Textformen, in denen Baudelaire seine gattungssprengende Poetik des Prosagedichts literarisch realisiert, finden sich erzählende Texte,[53] und Huysmans' Definition des „Gedichts in Prosa" als „kondensierte[r] Roman"[54], die Peter Altenberg der zweiten Auflage seiner ersten Kurzprosasammlung „Wie ich es sehe" 1898 als Motto voranstellt,[55] sowie Turgenjews breit rezipierte „Gedichte in Prosa" (1882), die – anders als Baudelaires „Petits poèmes en prose" – zumeist die Form kleiner morali-

scher Parabeln und allegorischer Erzählungen an-
nehmen, haben weiter dazu beigetragen, dass schon
innerhalb des Prosagedichts der frühen Moderne erzählende Kurztexte entstanden. Ebenso wichtig sind
für die Entstehung der narrativen Kurzprosaformen
Autoren wie Robert Walser und Franz Kafka, die – außerhalb des von Baudelaire initiierten poetologischen
Diskurses um das Prosagedicht – als Erzähler zur Kleinen Prosa kommen.

Die Verknappung des Erzählens auf seine kleinsten
Formen geht typischerweise mit je historisch variablen
Verfahren der episodischen Konzentration, anekdotischen Pointierung, parabolischen Überhöhung oder
phantastischen bzw. grotesken Verfremdung einher,
die das Erzählte zum Gegenstand weiterführender Reflexion machen. Ein charakteristisches Beispiel der
Allegorisierung Kleiner Prosa in der frühen Moderne
bietet Hugo von Hofmannsthals (1874-1929) Kurzer-
zählung „Gerechtigkeit" (1893), die aus der Auseinandersetzung des jungen Autors mit dem Prosagedicht
Turgenjewscher Prägung entstand.[56] Ein fiktives alter
ego des Autors erhält in seinem großbürgerlichen
Garten Besuch von einem mittlalterlich gekleideten
Engel, der im Gespräch mit dem „kleine[n] Kind des
Gärtners" den „Glanz" „paradiesische[r] Glückselig-
keit" verbreitet, den jungen Mann dann jedoch mit
seiner strengen Frage „Bist du ein Gerechter?" in eine
regelrechte Identitätskrise stürzt.[57] Der Engel lässt ihn,
der noch „so wenig vom Leben ergriffen" hat, mit seiner Gewissensnot allein und entpuppt sich so als Alle-
gorie der zentralen Frage des Hofmannsthalschen
Frühwerks nach dem richtigen Verhältnis zum (sozialen) „Leben" im Spannungsfeld zwischen ästhetischer
und ethischer Existenz.

Im Vergleich mit solcher Allegorisierung verfahren
die Kürzestgeschichten der Gegenwart zwar entschie-

42

den lakonischer, doch sind sie weiterhin an Brüchen im geläufigen Wirklichkeitsverständnis, an den verborgenen Regeln menschlichen Verhaltens und an moralischen Fragen gelingender Lebensbewältigung interessiert. Eine beliebte Technik ist die (phantastische, surreale oder groteske) Verfremdung der vertrauten Welt in kleinen narrativen Reflexionsmodellen der Alltagserfahrung, wie beispielsweise in folgendem Text aus dem Band „Garn" (2000) des Schweizer Autors Klaus Merz (*1945):

STROM
Ich soll ins Wasser gegangen sein, verbreitet sich die Nachricht im Ort. Mit meinem Sohn fahre ich zu den Stromschnellen hinaus, um zu sehen, wo es geschehen ist.
Im nahen Ausflugsrestaurant trinken wir zusammen Bier. Ein Mädchen bringt Blumen an den Tisch, weint.
Ob man mich eigentlich schon identifiziert hat, frage ich. Mein Sohn nickt, bewegt und gefasst, er hat es am frühen Morgen bereits für mich getan.[58]

In scharfem Kontrast zu ihrem ernsten Thema gewinnt diese Kürzestgeschichte ihre unterschwellige Komik aus der Verletzung der Wahrheitsregeln ‚realistischen' Erzählens, nach denen der Tod des Vaters und sein Überleben nicht gleichermaßen gültig sein können. Mit Hilfe dieser phantastischen Verschiebung der Wirklichkeit nach dem Vorbild der Traumlogik entwirft Merz ein pointiertes Reflexionsmodell des Umgangs mit dem Tabuthema Freitod.

Eine andere Traditionslinie narrativer Kleinstprosa orientiert sich an Elementen einer älteren Form erzählender Kurzprosa, der Anekdote, die sich hinsichtlich ihrer neueren Geschichte im deutschen Sprachraum mit Jürgen Hein wie folgt definieren lässt: „Die Anekdote ist eine durch gesellschaftliche Erzählsituation entstandene und vermittelte Kurzprosaform, die ein historisch wahres oder mögliches, menschlich bedeutsames Ereignis (bzw. Persönlichkeit, Stand, Situation usw.) in einer pointierenden Weise erzählt, wobei sich Stoff, Form und Sprache entsprechen."[59] Wesentlich sind der Topos der beanspruchten Faktizität,[60] die Pointierung mit oft überraschender Schlusswendung und das rhetorische Spiel mit dem „Verhältnis zwischen Erzähltem und Verschwiegenem"[61]. Autoren wie Doderer, Thomas Bernhard und Ror Wolf haben das narrative Strukturmodell der Anekdote in Schreibweisen einer modernen Kurzprosa transformiert, die die Momente der (behaupteten) Faktizität und Bedeutsamkeit, der Pointierung und des Verschweigens sowie den Adressatenbezug variieren oder ironisieren bzw. für eigensinnige komische, groteske und kritische Effekte nutzen.

Diese Effekte können auch zur parodistischen Subversion des Anekdotischen verwendet werden, wie in der folgenden ‚Ausschweifung' aus der Sammlung „Zwei oder drei Jahre später" (2003) von Ror Wolf (*1932):

Vorgänge im Gebirge

Ein Mann, ein Geiger, ein unbekannter Geiger, dessen Name mir beim besten Willen nicht einfallen will, sagte, als man ihn in einem Wirtshaus in Gletsch bat, ein wenig zu geigen, daß er seine Geige vergessen oder vielmehr verloren habe. Er glaube, er habe sie in Lax verloren, auf seinem Weg ins Gebirge, auf dem der Schnee derart dick den Boden bedeckte, daß er gar nicht gespürt habe, wie sie hinabgefallen sei, sie sei ohne Geräusche hinabgefallen, er habe dieses Hinabfallen gar nicht bemerkt. Er sei an diesem Abend noch in ein Wirtshaus gegangen, wo man ihn aufgefordert habe, ein wenig zu geigen, und habe erst in diesem Moment entdeckt, daß er gar keine Geige mehr hatte. Vor allem deshalb sei er ein unbekannter Geiger geblieben, und zwar sein Leben lang.[62]

Das grotesk-komische Erzählen dieser Kürzestgeschichte ruft Gattungsmerkmale der Anekdote auf, um sie teils parodistisch zu unterlaufen – das Erzählte ist höchst banal und die demonstrativen Gesten seiner Faktizität (Ortsangaben, Details) untergraben sich angesichts des absurden Geschehens selbst –, teils ironisch umzufunktionieren. Die gesellige Erzählsituation der Anekdote kehrt in der Wirtshaussituation und der Spaltung zwischen Rahmen- und Binnenerzähler wieder, wobei die Binnenerzählung des Geigers schleifenförmig in den Rahmen zurückläuft, indem er selbst seine vom Rahmenerzähler bereits festgestellte Unbekanntheit nun groteskerweise mit dem (unbemerkten) Verlust seines Instruments begründet und diesen als irreversibel hinstellt. So wird die Erwartung einer Pointe in das Porträt einer tragikomischen Gestalt umgewendet, deren Erzählen zugleich die Koordinaten der fiktiven Welt in Frage stellt, wenn der Geiger nämlich als vergangen erzählt, was sich gerade vollzieht: dass er gebeten wird, „ein wenig zu geigen", und dieser Bitte mangels Instrument nicht nachkommen kann. Der anekdotische Erzählansatz wird zum Einfallstor einer kafkaesken Welt unkalkulierbarer Gesetzmäßigkeiten und zugleich zum Instrument eines reflexiven Erzählens, das im verfremdenden Spiel mit vertrauten Mustern die Voraussetzungen des Erzählens selbst beleuchtet.

In experimentelleren Varianten kann die Minimalerzählung so schließlich bis zur Selbstaufhebung des Erzählens geführt werden, wie folgende „Erzählung" von Heimito von Doderer (1896-1966) demonstriert, in der der Autor seine Kürzestgeschichten noch einmal parodistisch unterbietet:

Ohne daß es irgend wäre im voraus zu vermuten oder auch
nur zu ahnen gewesen, urplötzlich, Knall auf Fall, und, nicht
genug an dem, zur allerfrühesten Morgenstunde, voll Hohn,
Haß und Bitternis –
Ja, was denn nun eigentlich?!!
Ja – das weiß ich nicht.[63]

Das komische Missverhältnis zwischen der überdeter-
minierten Exposition mit ihrer raumzeitlichen Situierung eines mutmaßlichen Geschehens und dem Aus-
bleiben des damit angekündigten Ereignisses führt in
der Ungeduld des fiktiven Zuhörers und im Versagen
des Erzählers die Mindestbedingungen des Erzählens
vor Augen: ohne zumindest einen Vorgang oder eine
Zustandsänderung, ohne eine rudimentäre Form des
epischen „und dann" kann es kein Erzählen geben. In
der komischen Enttäuschung der Genreerwartung reflektiert der Text mithin die Bedingungen des Erzählens noch in seiner kürzesten Form und wendet sich
reflexiv auf seine eigene Textualität zurück.

3.4. Reflexions- und Aufzeichnungsprosa

Wie für die narrativen Kurzprosaformen gibt es auch
für die kleine Reflexionsprosa mit ihren unterschiedlichen aphoristischen, essayistischen und tagebuchartigen Ausprägungen keinen übergreifenden Genrebegriff. Der Begriff der Aufzeichnung, der sich als Bezeichnung für solche Kurzprosaformen vor allem seit
den 1970er Jahren bei den Autoren eingebürgert hat,
lässt sich auf ältere reflektierende Schreibweisen nicht
ohne weiteres übertragen. Andere Bezeichnungen wie
‚Notizen' und ‚Betrachtungen', wie sie in den Titeln

einschlägiger Kurzprosasammlungen Verwendung finden, haben sich noch weniger durchgesetzt. Diese Offenheit der Genrebegrifflichkeit spiegelt nicht zuletzt die Tatsache, dass es sich auch bei der Reflexions- und Aufzeichnungsprosa nicht um eigenständige Gattungen handelt, sondern um Spielarten im Feld der Kleinen Prosa. Nicht zufällig kombinieren Autoren wie Benjamin, Kaschnitz, Strauß, Wolfdietrich Schnurre, Jürgen Becker, Erwin Einzinger oder Anne Duden in ihren einschlägigen Bänden nicht nur unterschiedliche Formen reflektierender Kurzprosa, sondern oft auch reflektierende mit anderen, emblematischen, lyrischen oder narrativen Schreibweisen.

Im Bereich der reflektierenden Kurzprosa manifestiert sich der gattungstranszendierende und experimentelle Grundimpuls der modernen Kleinen Prosa vor allem in der Transformation konventionalisierter Gattungsmuster in variable Schreibweisen, die vielfältig abgewandelt, kombiniert und weiterentwickelt werden. Dies soll im Folgenden am Beispiel des Aphorismus, des Essays und der Tagebucheintragung veranschaulicht werden. Bei diesen Nachbargattungen handelt es sich ebenfalls um kleine Formen, die zudem in vergleichbarer Weise in Sammlungen publiziert werden und daher für die moderne Kurzprosa auch poetologisch von Bedeutung sind.

Die enge Verwandtschaft des Aphorismus mit der Kleinen Prosa der Moderne ist bereits angesprochen worden. An die „Tradition der medizinischen (später auch naturwissenschaftlichen und allgemein wissenschaftlichen) Lehrsätze" seit dem griechischen Arzt Hippokrates anschließend,[64] aber auch an andere Traditionen wie die Apophthegmen-, d. h. Denkspruch-Sammlungen der frühen Neuzeit anknüpfend konstituiert sich der deutschsprachige Aphorismus im ausgehenden 18. Jahrhundert (und besonders wirkungsträchtig in Georg Christoph Lichtenbergs „Sudelbüchern", 1800) als anthropologisch und moralisch ausgerichteter Grenzübertritt zwischen Philosophie und Literatur und darin zugleich als Ausdruck einer freien, unsystematischen Reflexionsprosa, die etablierte Denkmuster und Wertordnungen aus der Perspektive kritischer Subjektivität in Frage stellt.

In formaler Hinsicht lässt sich der Aphorismus mit Harald Frickes vier Kriterien wie folgt definieren: „(1) Nichtfiktionaler Text in (2) Prosa in einer Serie gleichartiger Texte, innerhalb dieser Serie aber jeweils (3) von den Nachbartexten isoliert, also in der Reihenfolge ohne Sinnveränderung vertauschbar; zusätzlich (4a) in einem einzelnen Satz oder auch (4b) anderweitig in konziser Weise formuliert oder auch (4c) sprachlich pointiert oder auch (4d) sachlich pointiert."[65] Diese (mit Blick auf die historische Bandbreite der Ausprägungen recht enge) Definition hebt neben der Nichtfiktionalität des Aphorismus als Reflexionsprosa vor allem die (reversible) Reihenbildung, die Reduktion der Aussage (bis hin zum Einzelsatz) sowie deren Pointierung hervor, die stilistisch ganz unterschiedlich realisiert werden kann (beispielsweise durch Verallgemeinerungen, Antithesen und Aussparungen, Wortspiele oder Paradoxa)[66].

Angesichts der Verwandtschaft zwischen der Poetik des Aphorismus als einer Diskursgrenzen überschreitenden, unsystematischen, aber literarisch durchgearbeiteten Reflexionsprosa und der Poetik der modernen Kurzprosa ist es nicht verwunderlich, dass sich in stärker philosophisch ausgerichteten Bänden moderner Kleiner Prosa immer wieder auch vereinzelte Kurztexte finden, die – wie folgende Beispiele aus Benjamins „Einbahnstraße" und Strauß' „Paare, Passanten" – als Aphorismen gelesen werden können:

Gaben müssen den Beschenkten so tief betreffen, daß er erschrickt.[67]

Es schafft ein tiefes Zuhaus und ein tiefes Exil, da in der Sprache zu sein.[68]

Im Falle Benjamins ist der zitierte Aphorismus sogar Teil einer kleineren Reihe entsprechender ‚Gedankensplitter', deren Überschrift – „Galanteriewaren" – zugleich allerdings auch eine ironische Distanz zu der geschliffenen Sprache und Pointierung des Aphorismus suggeriert. Bezeichnenderweise wird die spezifisch aphoristische Form der Reflexionsprosa in modernen Kurzprosabänden relativierend neben andere Spielarten gestellt, zu denen sie sich ggf. nicht nur inhaltlich, sondern auch der Form nach kontrapunktisch verhält (wie in den genannten Bänden von Benjamin und Strauß etwa zu den emblematischen Prosaskizzen, in denen die Reflexion auf die Inkommensurabilität der Anschauung zurückverwiesen ist, zu Kurzessays, deren Sujets sich nicht in gleicher Weise pointieren lassen, und zu Minimalerzählungen, die nicht in der Veranschaulichung eines Gedankens aufgehen).

Jenseits der Montage einzelner Aphorismen in Kurzprosasammlungen ist es allerdings vor allem die Adaptierung von Elementen aphoristischen Schreibens in freieren Formen kurzer Reflexionsprosa, durch welche diese Nachbargattung auf die Geschichte Kleiner Prosa (vor allem seit den 1920er Jahren) Einfluss genommen hat. Als eine Spielart moderner Kurzprosa entzieht sich die aphoristische Aufzeichnung dem radikalen Reduktions-, Stilisierungs- und Pointierungsgebot des klassischen Aphorismus und findet neue Wege, in konzentrierten und nichtsystematischen Reflexionen herrschende Diskurse und Vorstellungen aus der Perspektive kritischer Subjektivität zu hinterfragen. Bei Benjamin führt dies einerseits zum Kurzessay, andererseits zum Denkbild als der emblematischen Vermittlung von Reflexion und Anschauung. Bei Strauß (und vielen anderen Gegenwartsautoren) lenkt eine solche aphoristische Reflexionsprosa darüber hinaus in die Nähe tagebuchartiger Aufzeichnungen und Selbstreflexionen, wie dem folgenden, thematisch verwandten Text aus „Paare, Passanten":

Man schreibt einzig im Auftrag der Literatur. Man schreibt unter Aufsicht alles bisher Geschriebenen. Man schreibt aber doch auch, um sich nach und nach eine geistige Heimat zu schaffen, wo man eine natürliche nicht mehr besitzt.[69]

Diese Reflexion bildet (in der Gliederung des Bandes mit Hilfe doppelter und einfacher Leerzeilen) im übrigen das Schlussstück einer kleinen Reihe von Reflexionen über das Schreiben,[70] zu denen auch Lektürezitate von Octavio Paz und Paul Valéry gehören, entfernte Nachfahren also des frühneuzeitlichen Apophthegma. Diese Reihenbildung exemplifiziert im Kleinen die Vorbildfunktion von Aphorismenserien und -sammlungen für die Komposition moderner Kurzprosabände. Deren Ordnung ist in der Regel ebenfalls reversibel, aber keinesfalls beliebig, da sie Gesetzen der ‚wiederholten Spiegelung' (Goethe), der thematisch-motivischen Vernetzung und Kontrapunktik gehorcht.

Wie die aphoristische Aufzeichnungsprosa Momente einer kleinen Vorläufer- und Nachbargattung in sich aufnimmt, indem sie zugleich ein als zu eng empfundenes Gattungskorsett abschüttelt, so schließt die moderne Kurzprosa auch hinsichtlich des Essays an Momente einer bereits bestehenden Gattungspoetik an, um deren Realisierungskonventionen jedoch (schon hinsichtlich der Länge der Texte) gezielt zu unterbieten. Ähnlich dem Aphorismus steht der Essay außerhalb des traditionellen Gattungssystems und entwickelt sich seit seinen Anfängen bei Montaigne zu einem kleinen, zwischen den Diskursen und Disziplinen, zwischen Literatur, Philosophie, Wissenschaft und Feuilleton changierenden Genre der „Selbstbehauptung des Subjekts im Kontext seines Wissens" „in einer sich ständig verändernden Umwelt"[71]. Allerdings ist die Form des Essays erheblich flexibler als die des Aphorismus. „Die Verknüpfung des Ästhetischen mit dem Subjektiven in der Gestaltung, die Akzentuierung der Erfahrungswirklichkeit und des Experimentellen und nicht zuletzt das Prozeßhafte einer prinzipiellen Unabschließbarkeit des Diskurses" prädestinieren den Essay zum „Experimentierfeld" des modernen „Menschen ohne normatives Weltbild",[72] zur Skepsis gegen herrschende Diskurse und jedes Denken in Systemen. Theodor W. Adorno hat den Essay in diesem Sinne als „die kritische Form par excellence" bestimmt, die „dem Bewußtsein der Nichtidentität Rechnung" trage, „ohne es auszusprechen", die „radikal [sei] im Nichtradikalismus, in der Enthaltung von aller Reduktion auf ein Prinzip, im Akzentuieren des Partiellen gegenüber der Totale, im Stückhaften".[73]

Die Poetik des Essays erscheint damit (insbesondere in ihrer Ausprägung im 20. Jahrhundert) mit jener der Kleinen Prosa aufs engste verwandt. Adorno hat in seinen „Minima Moralia. Reflexionen aus dem beschädigten Leben" (1951) darüber hinaus aber auch ein Modell dafür vorgelegt, wie diese Poetik des Essays für die moderne Kurzprosa produktiv gemacht werden kann. An die Denkbilder und Kurzessays in Benjamins „Einbahnstraße" sowie an die essaystische Kurzprosa in Ernst Blochs „Spuren" (1930) anschließend, entwickelt er dort eine stärker theoretisch akzentuierte Variante des Denkbilds, die als essayistische Erweiterung des Aphorismus oder umgekehrt als aphoristische Reduktionsform des Essays gelesen werden kann, die zudem eine emblematische Komponente besitzt. Neben diesem neuerlichen Beispiel für die Interaktion der Schreibweisen im Feld der Kleinen Prosa finden sich in der Kurzprosa von Robert Walser und Musil bis zu Botho Strauß, Peter Handke, Gerhard Amanshauser oder Kurt Marti aber auch andere Varianten essayistischer Aufzeichnungen als einer Spielart kleiner Reflexionsprosa.

Wenn es zum Potential des Essays gehört, „auf reflexiven, meditativen und argumentativen Wegen immer zuerst die Frage nach dem konkreten Leben, der Rolle des Ichs beim Denken und Handeln und insgesamt nach einer ethischen Haltung der Welt gegenüber" zu stellen,[74] dann ist damit zugleich das Erbe der französischen Moralistik angesprochen, das auch für die Kleine Prosa der Moderne von entscheidender Bedeutung ist. In essayistischen und aphoristischen Formen reflektierten die französischen Moralisten des 16. bis 18. Jahrhunderts (von Montaigne und La Rochefoucauld bis zu La Bruyère und Marivaux) mit skeptischem Blick die „Sitten" ihrer Zeit, die (moralische oder unmoralische) Lebenspraxis ihrer Gesellschaft (aber auch sich selbst), um „menschliches Verhalten so zu erkennen und zu beschreiben, wie es wirklich ist" und aus dieser „enthüllenden Menschenanalyse"[75] in „normfreier Betrachtungsweise" „von Fall zu Fall"[76] Maximen gelingender Lebensführung zu gewinnen. Adornos „Minima Moralia", Blochs „Spuren" und die Kurzprosa von Botho Strauß stehen eindeutig in dieser Tradition. Aber nicht nur durch den poetologischen Austausch mit Aphorismus und Essay, sondern auch durch das Prosagedicht Baudelairescher Prägung wird der skeptisch beobachtende und reflektierende Blick auf die Sitten der Zeit, die kritische Phänomenologie des sozialen Lebens zu einem wesentlichen Merkmal Kleiner Prosa seit der Moderne.

Die jüngste Bereicherung des Formenspektrums kleiner Reflexionsprosa ergibt sich schließlich aus der Transformation der Tagebucheintragung in eine Spielart der Kurzprosa. Anders als bei dem Aphorismus und dem Essay handelt es sich beim Tagebuch um eine Form autobiographischer Literatur, in der mithin das erlebende und schreibende Ich in stärkerem Maße präsent ist. Jenseits seiner kulturgeschichtlichen Bedeutung als Schriftmedium privater Ereignisverzeichnung und Selbstreflexion ist das Tagebuch daher seit dem 18. Jahrhundert zunehmend auch ein literarisches Medium der Reflexion von Subjektivität und Wirklichkeitserfahrung im Prozess ihrer Entfaltung von Tag zu Tag (statt im erinnernden Rückblick der Autobiographie). Das Tagebuch wird in dem Maße zur „literarisch angemessene[n] Form für das Krisenbewußtsein der Moderne"[77], wie personale Identität und Weltverständnis dem modernen Ich problematisch werden. Charakteristisch sind für das literarische Tagebuch daher der „Übergang von Beobachtung zu Reflexion" und die „Überführung der individuellen Problematik ins Allgemeine"[78] bei gleichzeitiger Offenheit der Form. Innerhalb der chronologischen Ordnung der Eintragungsfolge kann „von der bloßen Notiz" bis „zum ausgiebigen Berichten und zur systematischen Betrachtung",[79] vom Lektürezitat bis zur Werkskizze, vom Aphorismus über die Traumerzählung bis zum Charakterporträt[80] alles im Tagebuch seinen Platz finden. Gerade in dieser Einheit des Vielfältigen auf der Grundlage einer organisierenden Individualität und Schreibweise ist das moderne literarische Tagebuch, wie beispielsweise Max Frisch es im „Tagebuch 1946-1949" (1950) und „Tagebuch 1966-1971" (1972) konzipiert hat, für jüngere Kurzprosasammlungen zu einem der möglichen Vorbilder der Bandkomposition geworden.

Zugleich jedoch hat sich die offene Form der Tagebucheintragung mit ihrer Intention auf die verallgemeinernde Reflexion von Erfahrung und Beobachtung seit den 1930er Jahren als Modell für eine Aufzeichnungsprosa etabliert, die sich vom chronologischen Gerüst des Tagebuchs befreit und individuelle Schreibweisen ermöglicht, die vielfältige Themenbereiche moderner Selbst- und Wirklichkeitserfahrung assoziativ miteinander ins Verhältnis setzen. Im Vergleich der beiden Fassungen von Ernst Jüngers Band „Das abenteuerliche Herz" (1929 und 1938) lässt sich exemplarisch beobachten, wie tagebuchartige Aufzeichnungen in emblematische, narrative oder essayistische Kurzprosa überführt, stilistisch stärker durchgearbeitet und (untypischerweise) sogar mit Überschriften versehen werden. Von hier aus lassen sich bis in die Gegenwart, und vor allem seit den 1970er Jahren, bei Autorinnen und Autoren wie Kaschnitz, Handke, Strauß, Jürgen Becker, Günter Kunert, Peter Rosei oder Johanna Walser Spielarten der Aufzeichnungsprosa verfolgen, die in unterschiedlichem Maße und auf verschiedene Weise Elemente der Tagebucheintragung und der Tagebuchkomposition adaptieren.

Emblematische Überhöhungen, aphoristische Pointierungen sowie essayistische und narrative Weiterungen belegen in den einschlägigen Kurzprosabänden auch formal die Zugehörigkeit solcher Aufzeichnungsprosa zum Feld der kleinen Formen. Ein Beispiel für dieses Zusammenspiel der Schreibweisen bietet folgender Text aus dem Band „Die Türe zum Meer" (1983) von Jürgen Becker (*1932), in dem die tagebuchartige Aufzeichnung nach dem Vorbild der Prosaskizze verdichtet wird:

Der Blick aus dem kleinen Giebelfenster: ich ahne und imaginiere mehr, als ich wirklich sehe. Aber der Himmel ist offen, und die Wiesen, Wälder und Hügel reichen in einen endlosen Horizont. Allein die Bäume zu zählen, mein Leben reichte nicht aus. Der Trost zieht mit an den Grenzen der Sichtbarkeit.[81]

Die autobiographische Verortung des entworfenen Naturbildes und die ausdrückliche Reflexion auf das wahrnehmende Ich und seine Imaginationsfähigkeit unterstreichen den Charakter dieses Prosastücks als tagebuchartige Aufzeichnung, wie sie diesen Band von Becker insgesamt charakterisiert. Gleichwohl fügt die Reflexion dem dargestellten Blick eine emblematische Dimension hinzu, indem sie die Wahrnehmung eines „endlosen Horizont[s]" in die Einsicht in die „Grenzen der Sichtbarkeit" umwendet. Die Verschränkung von Endlichkeit und Unendlichkeit in dem gerahmten Blick durch das Fenster wird zum Sinnbild einer Grundbedingung menschlichen Daseins, das einem offensichtlich melancholisch gestimmten Bewusstsein Trost spendet.

Natürlich ist das Formenspektrum der Kleinen Prosa mit diesem Aufriss wichtiger Spielarten vom Prosagedicht über die Prosaskizze und die Kürzestgeschichte bis zur Aufzeichnung nicht erschöpft. Neben vielfältigsten Übergangsformen finden sich beispielsweise thematisch geprägte Sonderformen wie die Traumerzählung, die Porträtskizze, die Reiseskizze oder performative Formen wie das experimentelle Sprachspiel und die Rollenprosa, die ein bestimmtes Bewusstsein und seine Sprache vorführt.

4. Entwicklungslinien und Fallstudien

4.1. Das Prosagedicht im Aufbruch der Moderne

Die Anfänge der modernen Kleinen Prosa im ausgehenden 19. Jahrhundert liegen vor allem in zwei Bereichen der literarischen Produktion, die durch die Aufsprengung tradierter Gattungsgrenzen, durch die damit verbundene Infragestellung des herrschenden Literaturverständnisses sowie durch die Vielfalt ihrer formalen Ausprägungen gekennzeichnet sind – im Feuilleton und seiner Literarisierung als Prosaskizze (worauf in Kapitel 4.2. eingegangen wird) und im Prosagedicht. Zwar hat schon der frühromantische Dichter Novalis (Friedrich von Hardenberg, 1772-1801) in seinen „Hymnen an die Nacht" (1800) die Form des ‚Gedichts in Prosa' gefunden, um die romantische Revolution der Aufklärungswelt und ihrer Epistemologie (gewissermaßen rückläufig) in der Progression von Prosahymnen zu Vershymnen abzubilden, und auch andere Erscheinungsweisen poetischer Prosa im späten 18. Jahrhundert (wie die lyrisierten Prosa-Idyllen Salomon Gessners oder die „Streckverse" Jean Pauls)[82] können im Rückblick in gewisser Weise als Vorläufer des deutschsprachigen Prosagedichts um 1900 betrachtet werden. Keines dieser Phänomene kann jedoch als die Begründung des modernen Prosagedichts angesehen werden. So sind insbesondere Novalis' „Hymnen an die Nacht" dem frühromantischen Projekt einer „progressive[n] Universalpoesie" verpflichtet, die „alle getrennten Gattungen der Poesie wieder [...] vereinigen" und u.a. „auch Poesie und Prosa [...] bald mischen, bald verschmelzen, die Poesie lebendig und gesellig und das Leben und die Gesellschaft poetisch machen" will.[83] An die Poetologie dieses kulturrevolutionären Projekts gebunden bilden Novalis' Prosahymnen keine eigene Gattungstradition aus, finden im 19. Jahrhundert keine Nachfolger und spielen für die Anfänge des deutschsprachigen Prosagedichts im Fin de siècle keine entscheidende Rolle.

Die Begründung des modernen Prosagedichts als einer Erweiterung lyrischer Ausdrucksmöglichkeiten, die mit der Grenzüberschreitung zwischen (Vers-)Lyrik und Prosa zugleich das Literaturverständnis des 19. Jahrhunderts grundsätzlich in Frage stellt, ist zweifellos das Verdienst des französischen Lyrikers Charles Baudelaire und seiner „Petits poèmes en prose". Zwar nennt Baudelaire in seinem programmatischen Vorwort (1861) den Prosagedichtzyklus „Gaspard de la nuit" (1842) des Romanciers und Kritikers Aloysius Bertrand (1807-1841) als wichtige Anregung, und tatsächlich lässt sich in Bertrands Zyklus der Übergang von freien Versen zum ,Gedicht in Prosa' beobachten, indem die Verszeilen sich zu Absätzen verlängern und so gewissermaßen Prosastrophen bilden. Baudelaire löst sich jedoch viel weiter von lyrischen Formvorgaben und verbindet die neue Form nun mit jenen Themen, durch die das Prosagedicht erst seine zentrale Bedeutung für die literarische Moderne erlangen konnte: „die Schilderung des modernen Lebens" „in den riesigen Weltstädten, wo unzählige Beziehungen sich kreuzen" sowie der damit verbundenen „lyrischen Regungen der Seele", der „Wellenbewegungen der Träumerei", der „jähen Ängste des Gewissens"[84] eines modernen Subjekts. Mit solcher Thematisierung spezifisch moderner Wirklichkeitserfahrung und der Entwicklung entsprechend vielfältiger Ausdrucksformen, die nun auch Elemente anderer Gattungen wie des Tagebuchs, der Parabel und des Essays amalgamierend adaptiert, bezeichnet Baudelaires posthume Sammlung „Le spleen de Paris" (1869) einen entscheidenden Ausgangspunkt für die Entwicklung des Feldes der modernen Kurzprosa auch im deutschsprachigen Raum. Die mit modernen Großstadterfahrungen befassten Prosaskizzen von Walter Benjamin und Botho Strauß knüpfen hier ebenso an wie das deutschsprachige Prosagedicht im engeren Sinne als Erweiterung lyrischer Ausdrucksmöglichkeiten durch die ‚Emanzipation vom Vers'[85], wie es sich bei Autoren und Autorinnen wie Max Dauthendey, Stefan George, Georg Trakl, Johannes Poethen oder Sarah Kirsch seit den Anfängen der modernen Kurzprosa um 1900 immer wieder findet, und zwar charakteristischerweise in kontrapunktischem Bezug zur lyrischen Produktion der Autoren und oft in Bänden, in denen Prosa- und Versgedichte nebeneinander stehen.

Allerdings hat die breitere Rezeption von Baudelaires Prosagedichten im deutschsprachigen Raum erst um 1900 eingesetzt, nachdem die „Gedichte in Prosa" (1882) des prominenten russischen Erzählers Iwan Turgenjew bereits (ab 1882) ins Deutsche übersetzt und auch literarisch nachgeahmt worden waren.[86] Turgenjews Prosagedichte sind zwar aus der Faszination durch Baudelaires gattungstranszendierenden Neuansatz entstanden, stellen jedoch bereits einen selbständigen Gegenentwurf dar. Während Baudelaires französische Nachfolger (wie Stéphane Mallarmé und Arthur Rimbaud) das Prosagedicht als Erweiterung lyrischer Ausdrucksmöglichkeiten weiterentwickeln, erscheint das Prosagedicht bei Turgenjew „als eine verdichtete und damit nurmehr indirekt am Muster der Verslyrik orientierte Form" erzählender Kurzprosa, und eben diese narrative „Gattungsvariante" sollte sich „im deutschsprachigen Raum großer Beliebtheit erfreuen".[87] Dieser poetologischen und formalen Akzentverschiebung entspricht eine thematische. Wo der Blick des Flaneurs auf die Ränder und

58

Kehrseiten der Pariser Großstadtwelt mit provozierender Neutralität Phänomene und Probleme der modernen (urbanen) Gesellschaft beleuchtet, zielt Turgenjew auf „die paradigmatische Konstellierung existentiell bedeutsamer Situationen"[88] und deren moralische Reflexion in oft schon aphoristischer Pointierung. Die unterschiedlichen Poetiken der Textform bei Baudelaire und Turgenjew bezeichnen damit das Spannungsfeld der Möglichkeiten, zwischen denen sich das deutschsprachige Prosagedicht im Fin de siècle entfaltet.

Im deutschen Sprachraum beginnt die Geschichte des Prosagedichts mit der Turgenjew-Rezeption im Kontext des Naturalismus, um sich dann aber (auch bei Autoren mit naturalistischem Ausgangspunkt) zu einem Medium der „Überwindung des Naturalismus" (Hermann Bahr)[89] in der Neuvermessung der Grenze zwischen Lyrik und Prosa weiterzuentwickeln.[90] Die Funktion des Prosagedichts als Vehikel der Aufsprengung tradierter Gattungsgrenzen und Infragestellung literarischer Normen zeigt sich schon bei seinem ersten deutschsprachigen Repräsentanten, Detlev von Liliencron (1844-1909), der wesentlich zur Überwindung der epigonalen Gründerzeitlyrik beigetragen hat. In seinem Band „Adjutantenritte und andere Gedichte" (1883) steht der für diesen Lyriker charakteristischen Prosaisierung der lyrischen Verssprache erstmals – kontrapunktisch und komplementär – eine abschließende Gruppe von drei Prosagedichten gegenüber, deren letztes („Adjutantenritte. Erinnerungen aus einer Januarschlacht") dem Gedichtband sogar seinen Titel gibt. Alle drei Prosagedichte sind nach dem Vorbild Turgenjews als kleine (moralische) Erzählungen gefasst, wobei die ersten beiden („Auf der Marschinsel" und das zweiteilige „Verloren") in Stimmungsbildlichkeit und bildhaften Augenblickseindrücken ein lyrisches Element besitzen, während die abschließenden (eher anekdotischen) Schlachterinnerungen sich aus Prosastücken und Gedichten zusammensetzen. Sie spiegeln die Struktur der Sammlung damit noch einmal im Kleinen, erinnern zugleich aber auch an das ältere romantische Modell der lyrischen Einlagen in Erzähltexten.

Fast zehn Jahre später sind Prosagedichte in der Sammlung „Erlebte Gedichte" (1892) von Otto Julius Bierbaum (1865-1910), einem Autor der Münchener Moderne, dann bereits eine selbstverständliche Form geworden, die mit Versgedichten alterniert und ganz unterschiedliche Gestalt annimmt, die Konzentration auf narrative Texte also wieder hinter sich lässt. Das Spektrum reicht hier vom Liebesgedicht in Prosa („Nachtgang") und der prosalyrischen Naturhymne („Frühling") über die moralische Miniatur zu den Themen Glück und Tod („Die Purpurschnecke") bis zu jenen lyrisierenden Bildbeschreibungen zu Gemälden von Hans Thoma (1839-1924, S. 89-92)[91] und Arnold Böcklin (1827-1901, S. 165-168), mit denen Bierbaum einen besonderen Beitrag zum Prosagedicht des Fin de siècle leistet. Der Tendenz von Bierbaums Prosagedichten zum Entwurf bildhafter Augenblickseindrücke steht in diesen Bildgedichten in Prosa der Versuch einer literarischen Evokation, ja Überbietung des Mediums Bild (Gemälde) gegenüber, die den dargestellten Augenblick typischerweise in eine narrative Bewegung auflöst, so beispielsweise in folgendem Prosagedicht auf Thomas Bild „Sonnenuntergang":

Sonnenuntergang

Aus dämmergrauer Wolke fällt stechend-hellblutiges Roth herab, zischend ins graue, flockende Spiegelbild der Wolken im Wasser. Es zuckt und zittert, flimmert und flackt über das dunkle Grau und verscheidet bebend im molligen Schattengewebe. Buschige Bäume runden sich weich zum wolkigen Grau hinauf.

Leiser Athemzug der Nacht.

Aus allen Winkeln geistert im Husch tagschlafendes Fabel-Gesindel her. Ein lüsterner Faun schreckt eine Badende auf. Die läuft mit fliegenden Haaren, fliegenden Brüsten davon, vom flatternden Laken kümmerlich eingehüllt. Wie ihr das Herzchen hämmert vor Schreck, vor Schreck! Der bocksbeinige, geile Tölpel stützt sich mit plump triumphirendem Grinsen auf seine haarigen Schenkel. Ueber seine hartbraune und über des Mädchens rosazarte Haut läuft wie tropfendes, flüssiges Gold das gleissende, hellblutige Roth der untergehenden Sonne. (S. 89f.)

Die sprachliche Dynamisierung des Bildeindrucks und die Arbeit mit grellen Farbwerten versuchen der Maltechnik Thomas gerecht zu werden, die die Topik des idyllisierenden Genrebildes sprengt. Die bildende Kunst fungiert hier als Wahrnehmungsschule auch der Literatur in jener „gewaltigen Umwälzung [...] unserer ganzen Anschauungswelt",[92] die den Aufbruch der Moderne markiert.

Einen deutlichen Schritt weiter in Richtung auf eine literarische Überbietung der Bildvorlage geht Max Dauthendey in mehreren der Prosagedichte seiner wiederum aus Vers- und Prosagedichten komponierten Sammlung „Ultra Violett" (1893). Sein Prosagedicht „A Vespero" auf das gleichnamige Gemälde des (ab 1894) in München wirkenden italienischen Malers Gerolamo Cairati (1860-1948) etwa behandelt ebenfalls einen Sonnenuntergang, treibt die sprachliche Dynamisierung des Alltäglichen (in einem ebenfalls archaischen Raum) jedoch bis ins Extrem. Schon die beiden ersten Absätze –

Die Sonne fällt zur Erde. Gellend zerspringt ihr Licht.

Dicht vor dem blauen Tempel rollt sie nieder. Die bersten-
den Strahlen jagen durch den Tempelhain. Das Laub fliegt
in braunroten Fetzen, geronnene Blutschlacken, triefende
Purpurbrände. Alles rast durch die Bäume. Und die Bäume
alle von unten in gequollenem Blut und stockend grün-
dumpf.[93]

– illustrieren den Abstraktionseffekt dieser Technik, in
der sich die Bewegungen und Farben als literarischer
Ausdruck einer die ganze Natur durchwirkenden
Energie und Lebenskraft (in der naturwissenschaftlich
grundierten Metaphysik der Jahrhundertwende) vor
die Dinge und Menschen schieben. Diese Verbindung
von Dynamisierung und Abstraktion, die nicht zufällig
auch an die Maltechnik des späten Vincent von Gogh
(1853-1890) erinnert, weist über ihren ästhetizistischen
und impressionistischen Ausgangspunkt hinaus und
deutet bereits auf die expressionistischen Prosagedichte Georg Trakls hin.

Zwischen den narrativen Prosagedichten der Tur-
genjew-Nachfolge und avancierten prosalyrischen
Verfahren im Anschluss an den französischen Symbolismus (Baudelaire, Mallarmé, Rimbaud) entfaltet sich
um 1900 ein breites Spektrum von unterschiedlichen
Realisierungsformen des innovativen Gattungskon-
zepts ‚Prosagedicht‘, zu dem auch stärker reflektierende Formen gehören. Ein Beispiel bietet hier das
Prosagedicht „Reden mit dem Wind“ aus dem Zyklus
„Tage und Taten“ (1903) von Stefan George (1868-
1933), dem wichtigsten Repräsentanten des deutschen
Ästhetizismus.[94] Im Rückblick auf die Romantik und
ihre Utopie einer dialogischen Einheit von Mensch
und Natur entfaltet dieser Text die Situation des nachromantischen, modernen Subjekts im Gestus der Déca-
dence. Das Ich vemag an der Vitalität der Natur nicht
mehr zu partizipieren, ist von der Natur (und damit

zugleich von der Vitalität seines eigenen Lebens) ent-
fremdet und glaubt sich in einer Spätzeit, die in den
Motiven der Überreife, des Herbstes, des Todes und
der Müdigkeit symbolisiert wird. Zugleich wehrt sich
dieses spätzeitliche, ästhetizistische Subjekt gegen die
zeitgenössische Gesellschaft, ihre beschleunigte Modernisierung und ihren Fortschrittsglauben, wie sie in
dem „lärmenden tag" und dem „falschen klang zu
neuer glocken" chiffriert sind. Es akzeptiert die spannungsvolle, offene Position einer doppelten Opposi-
tion gegen Natur und herrschende Kultur in dem Motiv des tröstlichen Schmerzes, in dem das Gedicht die
Modernität seiner Subjektposition als Außenseitertum
reflektiert.

In den expressionistischen Prosagedichten des
österreichischen Lyrikers Georg Trakl (1887-1914)
sind die existentiellen und gesellschaftlichen Leidens-
erfahrungen des modernen Subjekts dann nicht mehr
genießbar und führen in eine alptraumhafte Welt. Als
unmittelbare Erweiterung seines verslyrischen Werks
partizipieren Trakls Prosagedichte an seiner intensiven lyrischen Bildsprache und an ihrem prägnanten
thematisch-motivischen Profil (Tod, Nacht, Sexualität,
die Familie als Spiegel gesellschaftlicher und existenti-
eller Verletzungen und Verstörungen). Prosagedichte
wie „Traum und Umnachtung" aus der Vers- und Pro-
sagedichtsammlung „Sebastian im Traum" (1915) sind
durch wiederkehrende Bilder und Motive gekennzeichnet, die in einem komplexen lyrischen Vorgang
und in hoher Verdichtung immer wieder neu umkreist
werden.[95] Trotz narrativer Momente (die Erzählung
der Erlebnisse eines lyrischen alter egos des Dichters)
erschließen sich Trakls Prosagedichte in ihrer Alp-
traumlogik nicht als erzählende Texte, sondern über
ihre Bildsprache und ihren rhetorischen Gestus, neben
partieller Rhythmisierung und Klangverdichtung (Al-

literation, Assonanz) insbesondere die elegische Klage und die apodiktische Anklage, wie es der Schluss des Textes „Traum und Umnachtung" veranschaulichen mag:

O ihr Dörfer und moosigen Stufen, glühender Anblick. Aber beinern schwanken die Schritte über schlafende Schlangen am Waldsaum und das Ohr folgt immer dem rasenden Schrei des Geiers. Steinige Öde fand er am Abend, Geleite eines Toten in das dunkle Haus des Vaters. Purpurne Wolke umwölkte sein Haupt, daß er schweigend über sein eigenes Blut und Bildnis herfiel, ein mondenes Antlitz; steinern ins Leere hinsank, da in zerbrochenem Spiegel, ein sterbender Jüngling, die Schwester erschien; die Nacht das verfluchte Geschlecht verschlang.[96]

Mit diesem prosalyrischen Verfahren, dessen Symbolismus über Dauthendeys Abstraktionsverfahren deutlich hinausführt, ist das Prosagedicht ganz auf seinen Ausgangspunkt bei Baudelaire, die Erweiterung lyrischer Ausdrucksmöglichkeiten, zurückverwiesen. Das expressionistische Prosagedicht stellt gegenüber der epigonalen Fortschreibung der in den 1880er und 1890er Jahren entwickelten Varianten noch einmal einen Neuansatz dar, nach welchem sich die Innovationskraft des von Baudelaire und Turgenjew ausgehenden Konzepts einer Gattung jenseits der Gattungen jedoch erschöpft. Bis zur Wiederentdeckung des Prosagedichts in seiner engeren Bedeutung als Erweiterung lyrischer Ausdrucksmöglichkeiten im Kontext der Krise des Literatursystems in den 1960er Jahren spielt das Prosagedicht für die Kleine Prosa der Moderne keine entscheidende Rolle mehr.

4.2. Prosaskizze und narrative Kurzprosa der frühen Moderne

Ein wichtiger zweiter Quellpunkt Kleiner Prosa neben dem Prosagedicht ist in der frühen Moderne das Feuilleton und seine Literarisierung als Prosaskizze. Im Anschluss an die teils essayistischen, teils erzählenden ‚Skizzen' in den Zeitungsfeuilletons des 19. Jahrhunderts kommt es zwischen dem Fin de siècle und den 1930er Jahren zu einer regelrechten Blüte des Feuilletons als einer „kleinen Form" (Polgar) der Literatur, die sich einerseits den Funktionsbedingungen ihres Mediums – der unterhaltsamen, aber ggf. durchaus auch kritischen Beobachtung und Reflexion des alltäglichen und kulturellen Lebens jenseits von Politik und Wirtschaft – unterwerfen muss, andererseits aber ausreichend Spielraum zur literarischen Entfaltung als „frühes Experimentierfeld"[97] der Moderne bietet. Im Thematischen sind dem Feuilleton (abgesehen vom Abstand zum politischen Teil der Zeitung) ebenso wenig Grenzen gesetzt wie im Formalen, und eben deshalb provoziert es die Ausbildung individueller feuilletonistischer Stile, charakteristischer und wiedererkennbarer Stimmen im kulturellen Diskurs der Zeitungen und Zeitschriften, wie sie Autoren wie Karl Kraus, Alfred Polgar, Alfred Kerr oder Kurt Tucholsky für sich entwickelt haben (bis hin zum Spiel mit unterschiedlichen Pseudonymen für differierende Autorschaftsrollen).

Über die Zweckbindung an das Medium Zeitung führt die Literarisierung des Feuilletons insbesondere dort hinaus, wo die kleinen Texte nicht als Literaturkritik, Theaterkritik oder kritischer Kommentar zu kulturellen Tageserscheinungen funktional gebunden sind, sondern sich als Prosaskizze ihr Thema und Verfahren frei wählen, indem sie bildhafte, reflektierende und narrative Momente auf unterschiedliche Weise gewichten und kombinieren. Ein weiteres Indiz für die literarische Überhöhung und ggf. Überbietung des Feuilletons in der Prosaskizze ist die Möglichkeit der Lösung der Texte aus dem Funktions- und Aktualitätszusammenhang der Zeitung in der Form der (nachträglichen oder erstmaligen) Publikation in Buchform sowie der damit oft einhergehenden Reihen- und Zyklenbildung. In diesem Sinne wird sich der vorliegende Aufriß auf Peter Altenberg und Robert Walser konzentrieren, die in ihren umfangreichen Kurzprosawerken prägnante Poetiken der Prosaskizze als spezifisch literarischer Form entwickelt haben. Daneben tritt als dritter Autor Franz Kafka als wirkungsvolles Beispiel narrativer Kurzprosa in der frühen Moderne, zumal sein Werk die weitere Entwicklung der Kleinen Prosa (nach 1945) entscheidend beeinflusst hat.

Peter Altenberg (d.i. Richard Engländer, 1859-1919) ist zweifellos der prominenteste und produktivste Autor Kleiner Prosa im Kontext der Wiener Moderne. Aus der Tradition des Wiener Feuilletons (Adalbert Stifter, Ferdinand Kürnberger, Friedrich Schlögel) kommend, stellt er seine Prosaskizzen zugleich in den um 1900 modernen Kontext des Prosagedichts, indem er 1898 der zweiten Auflage seiner ersten Skizzensammlung „Wie ich es sehe" (1896) das Zitat der Definition des Prosagedichts als ‚kondensierter Roman' und ‚ätherisches Öl der Kunst' aus Huysmans' Roman „A rebours" (1884, dt. „Gegen den Strich", 1897) voranstellt. Altenbergs Kurzprosa markiert damit den Überschneidungsbereich von Prosagedicht und Prosaskizze in der Jahrhundertwende 1900 und ist auch in der literaturwissenschaftlichen Rezeption aus beiden Perspektiven gelesen worden. Das Huysmans-Zitat benennt sehr genau die radikale

Reduktion des Erzählens in vielen von Altenbergs kleinen Texten, während der Titel seiner ersten Sammlung – „Wie ich es sehe", mit der doppelten Betonungsmöglichkeit des Ich oder des Sehens – auf die bildhafte Qualität seiner Prosaskizzen verweist und zugleich eine autobiographische Dimension suggeriert, die insbesondere in seinem stärker lebenspraktisch, aphoristisch, anekdotisch und erinnerungspoetisch ausgerichteten Spätwerk deutlicher hervortritt, das damit auch wieder enger an die Traditionen des Feuilletons heranrückt.[98]

Von Anfang an zeigt sich Altenberg in seinen Prosaskizzen als ein genauer Beobachter des sozialen Lebens in seiner Alltäglichkeit, der die literarische Phänomenologie der österreichischen Gesellschaft mit einem besonderen Interesse an Empfindungen und am Verhältnis der Geschlechter verbindet. Am prägnantesten hat er selbst die Poetik seiner Kleinen Prosa in der bereits eingangs zitierten „Selbstbiographie" zu Beginn seiner dritten Skizzensammlung „Was der Tag mir zuträgt" (1901) reflektiert, indem er den traditionellen Anspruch der „Dichtung" pointiert unterbietet:

Denn sind meine kleinen Sachen Dichtungen?! Keineswegs. Es sind Extrakte! Extrakte des Lebens. Das Leben der Seele und des zufälligen Tages, in 2-3 Seiten eingedampft, vom Überflüssigen befreit wie das Rind im Liebig-Tiegel! Dem Leser bleibe es überlassen, diese Extrakte aus eigenen Kräften wieder aufzulösen, in genießbare Bouillon zu verwandeln, aufkochen zu lassen im eigenen Geiste, mit einem Worte, sie dünnflüssig und verdaulich zu machen.[99]

In der Metapher des Brühwürfels erscheint die kleine Form als ein neues, literarische Konventionen und deren kulturelle Ansprüche unterlaufendes Medium der Beobachtung und Reflexion zentraler Fragen und Erscheinungen des lebendigen Alltags, eine Form, deren Konzentration und Kürze aber auch den aktiven Leser erfordert, der bereit und willens ist, das Ausgesparte zu ergänzen und sich das Bedeutungspotential der Prosaskizzen so selbst zu erschließen.

Ein anschauliches Beispiel für Altenbergs Reduktionstechnik und zugleich für die Verschränkung von bildhaften und narrativen Elementen bietet folgende Skizze aus der ersten Sammlung „Wie ich es sehe":

FLEISS.
Sie saß auf der Esplanade, stickte an einer gelben Arbeit in haariger Perser-Wolle.
Der Himmel war blau, der Schönberg war wie leuchtende Durchsichtigkeit.
Sie stickte.
Kleine rundliche weiße Wolken schwammen daher, der Schönberg wurde wie weiße Kreide.
Sie stickte.
Ein junger Dichter ging vorüber, grüßte – – –.
Alles war grau wie Blei, der Schönberg war verschwunden.
Sie nahm ihre gelbe Arbeit zusammen und ging.
Der Himmel war wieder blau, der Schönberg war wie leuchtende Durchsichtigkeit.
Sie saß auf der Esplanade und stickte an einer gelben Arbeit in haariger Perser-Wolle.
Ein junger Dichter ging vorüber, grüßte – – –.
Der Himmel war schwarz, mit einer Million weißer Sterne.
Sie saß in ihrem Zimmer und stickte an ihrer gelben Arbeit in haariger Perser-Wolle.
Der junge Dichter blickte in den schwarzen Himmel und in die Million weißer Sterne![100]

In äußerster Verknappung deutet diese Prosaskizze die Geschichte der Überkreuzung zweier Lebenswege an, deren Ergebnis und Bedeutung aber nicht ausgeführt werden. Die Figurenzeichnung ist radikal reduziert auf die Angabe des Geschlechts („sie" – nicht einmal ihr Alter wird genannt) bzw. des Berufs (freilich ist „der junge Dichter" eher ein Typus als ein Individuum); der narrative Vorgang entfaltet sich in einer Folge von drei Augenblicksbildern (zwei Begegnungen auf der Esplanade und ein Nachtbild, in dem die beiden Figuren getrennt, im Parallelismus der Textstruktur aber aufeinander bezogen sind) mit Hilfe wörtlich wiederkehrender oder leicht variierter Sätze; und die Gedankenstriche indizieren besonders deutlich die Aussparung dessen, woran der Leser vor allem interessiert sein wird: welches Verhältnis sich nämlich durch den Gruß des Dichters zwischen den beiden Figuren anbahnt. Statt diese ‚innere Geschichte' zu erzählen, ist die Darstellung von Gefühlen symbolistisch in die Naturmotive projiziert, die als die variabelsten Elemente der Spielanordnung besonderes Gewicht bekommen: Der Wechsel des Wetters, vom blauen Himmel über den weiß bewölkten bis zum bleifarbenen Grau einer Regenwand, suggeriert inneren Aufruhr bei der Frau, durch die das Erzählen fokalisiert ist, bevor das wiederkehrende Blau einen neuen Begegnungsversuch ermöglicht. Und der nächtliche Blick des Dichters in den schwarzen Himmel ruft die romantische Topik der Nacht als Raum der Seele und der Liebe auf, obgleich von Liebe im Text gar keine Rede ist.[101]

Stattdessen trägt die Skizze die rätselhafte Überschrift „Fleiss", deren Bezug zum Text keineswegs eindeutig ist. So entsteht ein offener semantischer Spannungsraum zwischen Überschrift und Text, der eine nicht ausformulierte Sinnbildlichkeit suggeriert. Das hartnäckige Sticken der (jungen?) Frau lässt sich am leichtesten auf diese bürgerliche Tugend beziehen, zumal der Handlungsort (die durch den Schönberg indizierte Uferpromenade am Traunsee in Gmunden) eher an Erholung und Freizeit denken lässt als an die Arbeit, von der die Frau nicht lassen kann; aber auch der Dichter zeigt in seinem wiederholten Grüßen eine Hartnäckigkeit, die als Fleiß bezeichnet werden könnte. Entscheidend ist, dass die Prosaskizze den Leser durch die radikale Verknappung der Informationen zu einer eigenen Deutung zwingt. In diesem Sinne wirkt der Text (trotz seiner Anlage als ‚kondensierter Roman') vor allem als ein literarisch entworfenes Bild, das den Betrachter zur Interpretation herausfordert. Zugleich ist der Text Teil der Skizzenreihe „See-Ufer" mit Stücken wie „Zwölf", „Neunzehn", „Roman am Land", „Flirt" und „Es geht zu Ende", deren thematisches Zentrum (Liebes- und Naturerfahrung in der „Sommerfrische an einem See im Salzkammergut")[102] auf die Lektüre der Einzeltexte ausstrahlt.[103] Im Kontext der Skizzenreihe wird das gleichsam in Analogie zum Fotonegativ entworfene Sujet – die Anfänge einer möglichen Liebesbeziehung – deutlicher, als der Text der Prosaskizze „Fleiss" dies nahelegt. Es ergibt sich in der kompositorischen Anordnung der Texte also eine Dialektik von Einzeltext und Skizzenreihe, die der Prosaskizze zusätzliche Bedeutungsaspekte verleiht.

Trotz seiner Romane ist auch das Werk des Schweizer Autors Robert Walser (1878-1956) durch die Kleine Prosa geprägt. Im Rückblick hat Walser den Genrewechsel (werkgeschichtlich unzutreffend) als eine ausdrückliche Entscheidung dargestellt, durch die er sich von der „idealistische[n] Last" der großen Form verabschiedet und sich stattdessen darauf konzentriert habe, „auf sprachlichem Gebiet" zu ‚experimentieren': „Ich ging seinerzeit vom Bücherverfassen aufs Prosastückschreiben über, weil mich weitläufige epische Zusammenhänge sozusagen zu irritieren begonnen hatten."[104] Eine der Sammlungen seiner Kurzprosastücke trägt ausdrücklich den Titel „Kleine Prosa".[105]

Mehr als bei Altenberg ist Walsers kleine Prosa allerdings durch die Notwendigkeit geprägt, „für die Katz, will sagen, für den Tagesgebrauch"[106] im Feuilleton der Zeitung arbeiten zu müssen. Viele seiner Stücke reflektieren ausdrücklich auf dieses Medium und die kommerziellen Zwänge des „Prosastückligeschäfts". So kündigt Walser beispielsweise 1919 in einem Kurzessay diesen selbst ironisch als „[s]ein letztes Prosastück" an, da „allerlei Erwägungen" ihn glauben ließen, „es sei [...] höchste Zeit, mit Abfassen und Fortschicken von Prosastücken aufzuhören und von offenbar zu schwieriger Beschäftigung zurückzutreten"; zu oft sei seine „Hoffnung", „daß die Stücke den Wünschen [der Zeitungsredaktionen, D.G.] entsprechen und hübsch in die Rahmen passen würden", enttäuscht worden, zu oft sei „dann solch ein mageres, armes, um Nachsicht bittendes, kleines zartes Prosastück" auch auf die Ungnade des Publikums gestoßen.[107] Solche hypertrophe Ironie ist ein prägendes Kennzeichen eines großen Teils von Walser Kleiner Prosa. Sie ermöglicht den Texten, tradierte Wahrnehmungs- und Wertungsmuster, herrschende Verhaltensweisen und Diskurse in ihrer Fragwürdigkeit vorzuführen und zur Reflexion auszustellen und so zugleich den entworfenen Ich-Figurationen der Autorschaft Bewegungsfreiheit zu verschaffen, ohne in den Zwang zu eigenen Gegenentwürfen oder Utopien zu geraten, die selbst nicht weniger fragwürdig wären als die reflektierten Strukturen. Von Walser selbst als „ein mannigfaltig zerschnittenes oder zertrenntes Ich-Buch" bezeichnet,[108] berühren seine Prosastücke die vielfältigsten Aspekte des alltäglichen und kulturellen Lebens seiner Zeit. Dies führt in der sprachlichen Konsequenz zu einem trügerischen Plauderton, einer stilisierten Rhetorik, die als Ausdrucksform der entworfenen literarischen Ich-Masken[109] die Themen der Texte überlagert und eine eigene ‚Textur'[110] ausbildet. In eben dieser sprachlichen Textur und der ihr eingeschriebenen eigensinnigen Perspektive auf die Welt und das Bewusstsein der Moderne liegt dann die eigentliche Aussage der Texte.

Den Unterschied zu Altenbergs Skizzentechnik mag exemplarisch folgendes Prosastück aus dem Jahre 1911 verdeutlichen, das (wie das Altenberg-Beispiel) den Anfang einer möglichen Liebesgeschichte zum Gegenstand hat:

SKIZZE

Er kam, so wie aus weiter nebelhafter Ferne. Schon das empfahl ihn. Er sah aus, wie sonst kein anderer aussah. Sie dachte: „So sieht einer aus, dem noch Gefahren bevorstehen." Arm war er, er trug abgerissene Kleider, doch er benahm sich stolz. Seine Haltung drückte große Ruhe und große innere Freudigkeit aus. Sie dachte: „Wie herrlich muß sein Kuß schmecken." Ferner machte er den Eindruck, als müsse er schon viel Gefallen erweckt und schon viel Interesse hervorgerufen haben, und als sei er überall dort, wo er diese beiden Dinge herausgefordert hatte, ohne einen einzigen flüchtigen Blick zur Seite zu werfen, weitergegangen.
Sie dachte: „Es ist Kühnes und Großherziges an ihm. Werde ich ihn lieben? Wert ist er jedenfalls, geliebt zu werden."
Ferner sah er so aus, als wisse er und als wisse er es wiederum nicht im geringsten, wie anziehend er sei. Sein Benehmen hatte etwas Verlorenes, etwas Zweideutiges. Sie sagte sich: „Dieser junge Mann versteht sicherlich diskret zu sein. Ich glaube, es muß süß sein, ihm zu vertrauen. Noch schöner und noch süßer muß es sein, ihm um den Hals zu fallen und ihn zu umarmen." Bei aller Sicherheit und Festigkeit seines Auftretens haftete ihm nichtsdestoweniger der Schimmer der Verstoßenheit und der Schutzlosigkeit an. Da dachte sie: „Er bedarf des Schutzes. Wie glücklich würde es mich machen, ihn in Schutz nehmen zu dürfen." Jung war er

und dennoch, so schien es, schon erprobt; eisernfest stand er da, das Bild der Standhaftigkeit und der Beharrlichkeit, und dennoch sah er aus, als sehne er sich nach überfließenden Weichheiten und Zutraulichkeiten.

Da berührte sie ihn, wie unabsichtlich und zufällig, am Arm. Sie errötete und dachte: „Er merkt, was ich will." Auch er errötete. Da dachte sie sich: „Der Vortreffliche! Er achtet meiner. Er ist ein Ritter." Er benahm sich nun in ihren Augen immer schöner, und immer mehr Stärke, Stolz und Zartheit kam aus seinem Wesen. Sie dachte: „Ich liebe. Ich darf zwar nicht lieben, denn ich bin verheiratet. Aber ich liebe." Sie gab ihm das mit den Augen zu verstehen, und er besaß Aufmerksamkeit, Artigkeit und Intelligenz genug, um zu begreifen, was sie meinte, was sie fühlte und was sie wünschte. Und nun begann der Roman. Wenn ich jetzt kein Autor, sondern eine Autorin wäre, würde ich hieran anschließend schleunigst zwei Bände schreiben.[111]

Der abschließende satirische Seitenhieb auf die Großform des (Trivial-)Romans, die natürlich nicht nur von Autorinnen bedient wurde, begründet zugleich poetologisch die Konzentration der Prosaskizze auf den vorübergehenden Augenblick einer Begegnung, die Ausgangspunkt einer (Liebes-)Geschichte wird. In schon grotesker Übersteigerung führt der Text die Eigendynamik eines (weiblichen) Begehrens vor, das in das (männliche) Gegenüber seine erotischen Ideale projiziert, sein Verhalten auf sich bezieht und sich schließlich geradezu autosuggestiv in das Gefühl der Liebe hineinsteigert, wobei die Möglichkeit zum Ehebruch den erotischen Reiz nur noch erhöht. Alles, was wir über den von der Frau begehrten Mann erfahren (mit der möglichen Ausnahme seines Errötens), ist an ihre Perspektive und Wahrnehmung gebunden und verdankt sich ihrer Imagination. Wenn dem Mann also schrittweise die widersprüchlichsten Eigenschaften zugeschrieben werden – erst Fremdheit, Abenteuertum und Heroismus, dann Verlorenheit, Schutzbedürftigkeit und Zärtlichkeit, schließlich Takt, Einfühlungsvermögen und Intelligenz –, so sagt dies gar nichts über ihn aus, sondern führt vielmehr weibliches Begehren und weibliche Männerideale in ihrer Widersprüchlichkeit vor, so wie Walsers Rollen-Ich sie sieht.

Der Chauvinismus dieser Darstellung ist ein Beispiel für das Verfahren des „ästhetischen Infantilismus",[112] dessen trügerische, scheinbar naive Affirmation bestehender Stereotype und Ordnungen wesentlich zu dem Irritationspotential von Walsers Kurzprosastil beiträgt; im vorliegenden Beispiel ist dieses Verfahren in geradezu satirischer Pointierung genutzt. Vor der metaliterarischen Schlusswendung arbeitet die Satire stilistisch mit dem Kontrast zwischen der hypertrophen Ausstellung der Gefühle und Vorstellungen der Frau, in die der Erzähler offenbar auktorial Einblick hat, und der trügerischen Bescheidenheitsgeste einer Protokollantenhaltung, die scheinbar nur notiert, was „sie" denkt und was „ferner" zu beobachten ist. Die Provokationskraft der Skizze resultiert nicht zuletzt daraus, dass (ähnlich wie bei Altenberg) das epische Inventar des Erzählens (Figurenzeichnung, raum-zeitliche Situierung, Handlung, Dialog) radikal reduziert wird und wiederum nur ein abstraktes „sie" und „er" übrig bleibt, das im Hinblick auf die Reflexion von Geschlechterrollen und Gender-Konzepten als paradigmatisch gelesen werden kann. Die Perspektivierung des Themas ist also ganz und gar abhängig von der Textur seiner literarischen Inszenierung. Und wo Altenbergs Aussparungstechnik mit der interpretierenden Ergänzung des Textes durch den Leser spielt, „durchbricht" Walsers subtile Verfremdung stereotyper Diskurse „eingeschliffene Leseerwartungen", lässt sie „ins Leere laufen"[113] oder provoziert (wie in dieser Skizze) nachhaltige Irritation.

Auch der Prager Erzähler und Klassiker der deutschsprachigen Moderne Franz Kafka (1883-1924) begann sein Werk im Raum der Kleinen Prosa; schon der Titel seiner ersten Buchveröffentlichung, „Betrachtung" (1912), verweist auf den Kontext der Prosaskizze, aus dem die aufgenommenen kurzen Stücke mit ihrer charakteristischen Mischung narrativer, bildhafter und reflektierender Elemente sich gattungsgeschichtlich herleiten. Robert Walser ist immer wieder als ein Vorläufer Kafkas gesehen worden, und mit Blick auf die Kleine Prosa von Kafkas literarischem Debüt kann tatsächlich davon gesprochen werden, dass Walsers Diskurskritik herrschender Wahrnehmungsmuster und Wertungssysteme hier durch weitergehende, traumlogische Verfremdung in die epistemologische Kritik der modernen Welt und ihrer Wahrnehmung durch das Subjekt überführt wird. Ein Beispiel bietet die folgende Prosaskizze aus dem Band „Betrachtung", in der schon die Wahl des Personalpronomens „man" die Auseinandersetzung mit geläufigen Topoi des kollektiven Bewusstseins anzeigt:

Wunsch, Indianer zu werden

Wenn man doch ein Indianer wäre, gleich bereit, und auf dem rennenden Pferd, schief in der Luft, immer wieder kurz erzitterte über dem zitternden Boden, bis man die Sporen ließ, denn es gab keine Sporen, bis man die Zügel wegwarf, denn es gab keine Zügel, und kaum das Land vor sich als glatt gemähte Heide sah, schon ohne Pferdehals und Pferdekopf.[114]

Der exotistische Wunsch nach Befreiung aus der kulturellen Welt der europäischen Moderne und ihren Grenzen entwickelt hier eine geradezu nihilistische Dynamik, die in der Ausführung der Wunschvorstellung auf dem kulturkritischen Wege ‚zurück zur Natur' schrittweise alles tilgt, was zur Wunscherfüllung vorgestellt war und notwendig ist, bis – alptraumartig und phantastisch – nur noch ein geradezu leeres Gleiten durch den Raum übrig bleibt. Die unvollständige Syntax – dem Bedingungssatz folgt nicht der erwartete Hauptsatz, sondern eine Folge einschränkender und abschweifender Satzglieder und Teilsätze als stilistisches Pendant der sich verselbständigenden Vorstellung – veranschaulicht die Aushöhlung und Umkehrung der vorgeführten eskapistischen Phantasie auch stilistisch.

Solchen Skizzen folgen in der Sammlung „Ein Landarzt" (1919) dann kleine, oft parabolische Erzählungen, die immer wieder auch die Bedingungen und Strukturen des Erzählens selbst reflektieren und in Frage stellen. So stellt beispielsweise der Text „Auf der Galerie" wie in einem Vexierspiegel zwei gegenläufige Versionen derselben Geschichte einander gegenüber, so dass sich beide Verläufe gegenseitig konterkarieren und unterminieren. Zwar behauptet der Erzähler mit auktorialem Gestus, dass der ‚junge Galeriebesucher' in der Zirkusmanege nicht – wie zunächst erzählt – „irgendeine hinfällige, lungensüchtige Kunstreiterin" beobachtet, wie sie von ihrem „erbarmungslosen Chef monatelang" misshandelt wird und in eine „immerfort weiter sich öffnende graue Zukunft blickt", so dass er ihr schließlich zu Hilfe eilt und der qualvollen Vorführung Einhalt gebietet; vielmehr handele es sich bei der Kunstreiterin um eine „schöne Dame", die von ihrem Zirkusdirektor und dem Publikum hofiert werde, so dass der Galeriebesucher einem anderen Verhaltensstereotyp folgen, gerührt „das Gesicht auf die Brüstung" legen und – dies das rätselhafteste Motiv – träumend weinen kann, „ohne es zu wissen".[115] Die vom Erzähler autorisierte zweite Version, die in sich bereits – wie die entsprechend enthusiastische Schilderung desselben Motivs in Robert Walsers Prosaskizze „Ovation" (1912),[116] auf die Kafka hier praktisch antwortet[117] – zu schön ist, um wahr zu sein, wird von der dementierten Gegenversion jedoch unterwandert, so dass auch die Auktorialität des Erzählers erodiert. So bleibt schließlich unklar, welche Version nun die Wahrheit der Erzählung darstellt bzw. ob es eine solche Wahrheit überhaupt gibt, zumal beide Versionen in sich selbst Fliehkräfte aufweisen, die sie als bloße Modellvorstellungen markieren. Auch die erste, scheinbar sozialkritische Version mit ihrer Suggestion einer ewigen Wiederkehr des Ausbeutungsszenarios und ihrem Motiv des heroisch eingreifenden Jünglings ist nicht realistischer als ihr hypertrophes ‚positives' Gegenbild,[118] und die sprachliche Stilisierung – beide Versionen der Geschichte bestehen aus jeweils einer einzigen langen Satzperiode mit großem rhetorischem Spannungsbogen – unterstreicht den Charakter der Parabel als eine literarische Versuchsanordnung, die den Leser auf die Textur des Erzählens zurückwirft. Der Text erzählt also weniger eine Zirkusgeschichte als dass er ein Reflexionsmodell für eine mögliche Erzählung entwirft und so die Konstitutionsbedingungen des narrativen Diskurses ganz grundsätzlich vorführt. Die Reduktion des Erzählens auf seine Minimalformen bei gleichzeitiger Reflexion auf die Diskursstruktur des Erzählens ist von den Erzählexperimenten des Expressionismus bis zu entsprechend experimentellen Kürzestgeschichten der Gegenwart eine markante Traditionslinie narrativer Kleiner Prosa. Wenn Kafka nach 1945 für die weitere Entwicklung der Kurzprosa von entscheidender Bedeutung sein wird, so verdankt sich dies allerdings nicht allein seinen Experimenten mit kleinen Formen, sondern in erster Linie jenem prägnanten parabolischen Verfahren verfremdender Phantastik, jener traumlogischen Kritik von Grundstrukturen der modernen Welt und ihres in die Krise geratenen Subjekts, die sein Erzählen mit seiner „Dialektik von Interpretationsprovokation und Interpretationsverweigerung"[119] insgesamt prägt.

4.3. Kleine Prosa der 1920er und 1930er Jahre

Mit dem Blick auf die Kleine Prosa Robert Walsers und Franz Kafkas (sowie solcher Feuilletonautoren wie Alfred Polgar und Kurt Tucholsky) hat der gattungsgeschichtliche Aufriss bereits die historische Zäsur des Ersten Weltkriegs und des politischen Untergangs des alten Europa überschritten. Die tiefgreifenden politischen, wirtschaftlichen und sozialen Konflikte der 1920er Jahre, die Konkurrenz der Literatur mit dem neuen Medium des Films, die Herausforderung durch den Aufstieg moderner (amerikanischer) Massenkultur sowie das Ende der frühmodernen Avantgardebewegungen weisen auch dem Feuilleton und seinen literarischen Überbietungsformen neue Themen, Aufgaben und Möglichkeiten zu. Während die publizistischen Formen immer stärker in den Sog der politischen Konfrontation geraten, verschiebt sich in der literarischen Prosaskizze der Schwerpunkt von den epistemologischen und sprachkritischen Akzenten der Vorkriegszeit zur kulturkritischen Phänomenologie der sozialen Wirklichkeit, insbesondere der urbanen Moderne und ihrer neuen Medien- und Massenkultur. In dem physiognomischen Blick auf die moderne Großstadtwelt mit ihrer veränderten Moral, ihrer beschleunigten Zeiterfahrung und ihren ganz neuen Wahrnehmungsgesetzen – und in dem Versuch, diesen Herausforderungen durch „konsequent[e] Desautomatisierung der Wahrnehmung"[120] vermittels Beobachtung und kritischer Betrachtung ordnend entgegenzutreten – gewinnt die Kleine Prosa in den 1920er und 1930er Jahren (und bis in die Jahrhundertmitte)[121] für die zweite Phase der literarischen Moderne erneut entscheidende Bedeutung. Nicht zufällig formuliert Alfred Polgar seine eingangs zitierte Poetik der „kleinen Form" in dieser Hochzeit Kleiner Prosa, in der auch das Feuilleton „selbstbewußt und selbstreflexiv"[122] wird. Mit der im Gefolge der Neuen Sachlichkeit zu beobachtenden Schwerpunktverschiebung in den Problemstellungen ändern sich freilich auch die Formen und Verfahren der Kurzprosa. Ins Zentrum des Feldes rücken nun solche Varianten der Prosaskizze zwischen Philosophie, Literatur und feuilletonistischer Sachprosa, die (in jeweils autorspezifischer Gewichtung und Form) Anschauung und Reflexion in bildhaften, narrativen, essayistischen oder tagebuchartigen Texten miteinander verknüpfen. Im Sinne dieser literarischen Verschränkungen von Anschauung und Reflexion, Beobachtung und Kommentar ist Walter Benjamins Begriff des ‚Denkbildes' durchaus geeignet, grundlegende epochenbedingte Gemeinsamkeiten zwischen so unterschiedlichen Kurzprosawerken wie jenen Robert Musils, Benjamins, Ernst Blochs und Ernst Jüngers zu benennen, die im Folgenden näher beleuchtet werden sollen. Gemeinsam ist diesen Autoren auch die sorgfältige Komposition ihrer Buchpublikationen Kleiner Prosa, die über einzelne Skizzenreihen oder nachträgliche Feuilletonsammlungen nun deutlich hinausführt und Ausdruck ihrer immanenten Poetologie ist.

Deutlicher als die Autoren des literarischen Feuilletons im engeren Sinne knüpft Robert Musil (1880-1942) in seinem „Nachlaß zu Lebzeiten" (1936) in der Tradition der Wiener Moderne an die epistemologischen Problemstellungen der Jahrhundertwende an. Seine Kurzprosa, deren formales Spektrum – in den poetologischen Titeln der Textgruppen – von „Bildern" über „Unfreundliche Betrachtungen" bis zu „Geschichten, die keine sind", also von der Prosaskizze über den Esssay und die Satire bis zur Parabel reicht, betreibt in einer Art literarischer Versuchsanordnung die ästhetische Beobachtung und ‚Analyse der Empfindungen' (Ernst Mach),[123] erkundet die anthropologische wie die kultur- und sozialgeschichtliche Konstruktion des „Denkens, Fühlens und Handelns" und beleuchtet das „moralische Kreditverhältnis", das die „gewohnten Zusammenhänge" unserer Welt auf höchst prekäre Weise garantiert (S. 521f.).[124] Musils Kurzprosa ist literarische „Erkenntnisprosa"[125] auf der Spur von „Gefühlserkenntnisse[n] und Denkerschütterungen", die im Erzählen Strukturen und Grenzen der vermeintlich fraglosen „Realität" sichtbar machen.[126]

Ein Beispiel für die emblematische Umsetzung dieser Poetologie bietet die Prosaskizze „Inflation", die – wie die meisten Texte des „Nachlasses zu Lebzeiten" – zuvor bereits einzeln publiziert wurde, allerdings unter der anders akzentuierenden Überschrift „Die fliegenden Menschen" (Weihnachten 1922; S. 568f.). In seinem bildhaften Mittelteil beschreibt die Skizze ein motorisiertes Kettenkarussell in einem Fischerdorf und die Jugendlichen, die sich abends auf ihm vergnügen, wobei der Bogen des Textes vom Einsatz der Kreisbewegung über deren höchste Beschleunigung zurück zum Stillstand führt (S. 481). Der einleitende melancholische Rückblick auf die „bessere Zeit" des alten mechanischen, langsamen und starren ‚Ringelspiels' präludiert bereits die Thematik der Modernisierung, Steigerung und Beschleunigung, die die Bewegungsdynamik des motorisierten Karussells symbolisiert und die sich kulturkritisch als „Inflation" des Lustempfindens[127] darstellt: „Heute trinken die Fischerjungen Sekt mit Kognak." Und der Schluss des

Stückes wendet diese Reflexion über die Veränderung der Gefühle im Prozess der Modernisierung ins Sozialökonomische, indem der Betreiber des Karussells weiterzieht, wenn das „Nachlassen der Lust" das Geschäft mit ihr unrentabel macht. Es geht jedoch nicht nur um die Kulturgeschichte und Ökonomie jugendlicher Vergnügungen (einschließlich der angedeuteten erotischen Annäherungsrituale), sondern zugleich moralisch um das Umschlagen ekstatischer Lust in Gewalt. Schon der Standort des Karussells – „auf dem kleinen Platz mit dem Ehrenstein für die gefallenen Krieger" – evoziert mit der Zeitgeschichte auch die Verheerungen des Ersten Weltkriegs,[128] und die Geräusche des Karussells sowie das Verhalten der Jugendlichen (schreien, brüllen, schluchzen, kreischen, peitschen, kneifen, Spiel mit den Geschlechterrollen) wenden das Entgrenzungserlebnis ekstatischer Lust ins Gewaltsame und Bedrohliche.

Vor diesem Hintergrund kommt auf dem Höhepunkt der Kreisbewegung dann das wahrnehmungskritische und wahrnehmungstheoretische Moment der Skizze zum Tragen: Der akustische Eindruck setzt zugunsten des optischen aus und der Blick schlägt von der räumlichen Bewegung der Details in die flächige Totale um, die nach Modellen expressionistischer und kubistischer Malerei gestaltet wird: „So schwingen sie alle durch die Kegel der Helle ins Dunkle und werden plötzlich wieder in die Helligkeit gestürzt; anders gepaart, mit verkürzten Leibern und schwarzen Mündern, rasend bestrahlte Kleiderbündel, fliegen sie auf dem Rücken oder auf dem Bauch oder schräg gegen Himmel und Hölle." (S. 481) Das soziale Ereignis verdichtet sich in geometrischen Figuren, in Licht- und Schattenschnitten zum grotesken Bild, das abschließend metaphysisch überhöht wird. In dem scheinbar so belanglosen und alltäglichen Dorfvergnügen bricht

die moralische Disposition der dargestellten Gesellschaft als ganze exemplarisch auf, und die Titeländerung von „Die fliegenden Menschen" zu „Inflation"
akzentuiert die zeitkritischen Implikationen dieses Abgrunds für eine Gesellschaft, die in der Hyperinflation
des Jahres 1923 den Zusammenbruch ihrer sozialen
Ordnung und darin zugleich die Fragilität ihrer Moral
erlebt hatte. In Anlehnung an die emblematische
Triade von inscriptio, pictura und subscriptio bilden
das symbolische Bild des Karussells, die kulturkritischen Betrachtungen des Rahmens und die pointierende Überschrift einen komplexen ästhetischen Reflexionsraum des „Eindringen[s] der urbanen Moderne und ihres Tempos in die ungleichzeitige
Dorfwelt".[129]

Damit kommt Musil in dieser Prosaskizze der emblematischen Kurzprosa des Literaturwisssenschaftlers,
Autors und Kulturtheoretikers Walter Benjamin (1892-
1940) thematisch wie formal näher als wohl sonst im
„Nachlaß zu Lebzeiten". Zweifellos steht bei dem Baudelaire-Übersetzer Benjamin (deutlicher als bei Musil)
das französische Prosagedicht des 19. Jahrhunderts als
eines der gattungsgeschichtlichen Modelle hinter seiner Kurzprosa, insbesondere auch hinter dem neuartigen Blick auf das Leben in der modernen Großstadt,
auf ihre Topographie und Symbolwelt. Sie tritt schon
in dem Titel des Bandes „Einbahnstraße" (1928) und
in der urbanen Metaphorik der überschriftenartigen
Randspalte als organisierendes Prinzip der Sammlung
hervor. Als Universum disparater Lebenswelten und
Diskurse im Prozeß der Modernisierung verkörpert
der Zeichen- und Verkehrsraum der Großstadt jene
Einheit in der Vielfalt, die Benjamin in der Kurzprosa
des Bandes reflektiert. So reicht das Themenspektrum
der „Einbahnstraße" vom modernen Alltagsleben und
Kindheitserinnerungen über den kulturkritischen

Blick auf symptomatische Verhaltens-, Empfindungs- und Denkweisen der Weimarer Gesellschaft bis zur sozialtheoretischen Zeitkritik sowie Literatur- und Medienkritik. Dieser Themenvielfalt entspricht die bemerkenswerte Erweiterung des Formenspektrums der modernen Kurzprosa, von Prosaskizzen und Traumaufzeichnungen über feuilletonistische Betrachtungen und Kurzessays bis zu Aphorismenreihen und satirisch pointierten Thesenkatalogen, die – wie Benjamins Kleine Prosa insgesamt – zur entfaltenden, weiterdenkenden und querbezüglichen Lektüre herausfordern.

Benjamins maßgeblicher Beitrag zur Geschichte der modernen Kurzprosa besteht nicht zuletzt in der weiteren Literarisierung des Feuilletons in Varianten einer emblematischen Schreibweise, die im Sinne seines poetologischen ‚Denkbild‘-Begriffs[130] die Grenzen zwischen Literatur, Philosophie und politischer Sachprosa überschreitet. (Einzelne Stücke der „Einbahnstraße" sowie spätere Denkbilder Benjamins erschienen bezeichnenderweise zuerst als Feuilletons, vor allem in der liberalen „Frankfurter Zeitung".) Schon das erste Stück der „Einbahnstraße" mit dem Titel „Tankstelle" illustriert die spezifische Art und Weise, in der Benjamins Denkbilder bildhafte Anschauung und diskursive Reflexion zu ästhetischen Modellen moderner Wirklichkeit verschränken. Diese expositionsartige Reflexion über die veränderten Bedingungen schriftstellerischer Arbeit in der modernen Industrie- und Mediengesellschaft entwirft einerseits eine Poetik der kleinen, „unscheinbaren Formen", die in politischer Akzentuierung an Alfred Polgars Apologie des Feuilletons als „kleiner Form" erinnert. Andererseits verweigert sich der Text in seiner Literarizität der vermeintlich unausweichlichen „prompte[n] Sprache" unmittelbarer politischer „Wirksamkeit" (S. 85).[131] Im Bild des Mechanikers, der den „Riesenapparat des gesellschaftlichen Lebens" ölt und so am Laufen hält, reflektiert sich ein Schreiben, das aus der genauen Kenntnis der gesellschaftlichen Dialektik von „Fakten" und „Überzeugungen" kritisch auf die „Meinungen" einwirken will (ebd.). Die überschriftenartige Inscriptio „Tankstelle" markiert mit ihrem deutungsbedürftigen Bezug zum Text emblematisch die Funktionalisierung der Literatur in der geistigen und medialen Ökonomie der modernen westlichen Gesellschaft und vernetzt das Denkbild in der symbolischen Topographie des Bandes zugleich im Sinne wechselseitiger Spiegelungen mit anderen Texten ähnlicher Thematik.[132]

Vor dem Hintergrund seiner kritischen Wirkungsästhetik ist Benjamins „Einbahnstraße" stärker aphoristisch und essayistisch ausgerichtet (und darin auch dem Feuilleton näher) als Musils „Nachlaß zu Lebzeiten". Wie in dem Denkbild „Tankstelle" liegt der Akzent in der emblematischen Verschränkung von Anschauung und Reflexion oft auf Seiten der Reflexion. Gegenbeispiele finden sich nicht zufällig im Bereich autobiographisch geprägter Prosaskizzen wie dem folgenden Denkbild aus der Skizzenreihe „Vergrößerungen", das mit Musils „Inflation" das Motiv des Karussellfahrens gemeinsam hat:

KARUSSELLFAHRENDES KIND. Das Brett mit den dienstbaren Tieren rollt dicht überm Boden. Es hat die Höhe, in der man am besten zu fliegen träumt. Musik setzt ein, und ruckweis rollt das Kind von seiner Mutter fort. Erst hat es Angst, die Mutter zu verlassen. Dann aber merkt es, wie es selber treu ist. Es thront als treuer Herrscher über einer Welt, die ihm gehört. In der Tangente bilden Bäume und Eingeborene Spalier. Da taucht, in einem Orient, wiederum die Mutter auf. Danach tritt aus dem Urwald ein Wipfel, wie ihn das Kind schon vor Jahrtausenden, wie es ihn eben erst im Karussell gesehen hat. Sein Tier ist ihm zugetan: Wie ein stummer Arion fährt es auf seinem stummen Fisch dahin, ein hölzerner Stier-Zeus entführt es als makellose Europa. Längst ist die ewige Wiederkehr aller Dinge Kinderweisheit geworden und das Leben ein uralter Rausch der Herrschaft, mit dem dröhnenden Orchestrion in der Mitte als Kronschatz. Spielt es langsamer, fängt der Raum an zu stottern und die Bäume beginnen sich zu besinnen. Das Karussell wird unsicherer Grund. Und die Mutter taucht auf, der vielfach gerammte Pfahl, um welchen das landende Kind das Tau seiner Blicke wickelt. (S. 114f.)

Diese Skizze, die Benjamin in einer ins Präteritum transponierten Variante unter dem Titel „Das Karussell" auch in seinen autobiographischen Kurzprosazyklus „Berliner Kindheit um Neunzehnhundert" aufgenommen hat (S. 268), folgt in ihrem kreisförmigen Aufbau ähnlich wie jene Musils der Dynamik der Drehbewegung des Karussells über die höchste Beschleunigung bis zum erneuten Stillstand. An die Stelle des beobachtenden Blicks von außen bei Musil tritt hier jedoch die metaphorische Darstellung der Innenperspektive kindlichen Erlebens von der Loslösung aus der gewohnten Welt, die als Flugtraum metaphorisiert ist, über die ekstatischen Imaginationen kindlicher Abenteuerphantasie, die symbolisch bis an das Ende der Welt, in den Urwald, und zugleich aus der Zeit herausführen (wie sich in der paradoxen Zeitbestimmung „vor Jahren [...] eben erst" andeutet), bis zur Rückkehr ins Vertraute in der Metapher des in seinen Hafen einlaufenden Schiffes.

Auch hier also ist das Karussellfahren Inbegriff ekstatischer Erfahrung, doch verschiebt sich die Thematik schon durch die Tatsache, dass es sich hier nicht um das (erotisierte) Spiel von Jugendlichen handelt, sondern um die Phantasie eines kleinen Kindes, dessen Wirklichkeitsbezug noch durch die Mutter bestimmt ist und dem – in einer literarischen Mythisierung kindlichen Erlebens – noch nicht einmal ein Geschlecht zugeschrieben wird. Und doch zeigt sich auch die Phantasie dieses mythischen, gewissermaßen vor dem gesellschaftlichen Leben stehenden Kindes zutiefst kulturell geprägt. Seine imaginären Abenteuer im ekstatischen „Rausch" des Karussellfahrens setzen sogleich einen Herrschaftstraum frei, dessen Topoi („Eingeborene", „Orient", „Urwald") orientalistisch und kolonial besetzt sind, um nach dieser räumlichen Ferne dann in die zeitliche Tiefe des (antiken) Mythos einzutauchen. Statt individueller Wünsche und Vorstellungen reproduziert die Phantasie des Kindes so den kulturellen Bilderschutt der westlichen Gesellschaft und die Grundmuster kolonialen Denkens, wie sie von populärer Kinder- und Abenteuerliteratur fortgeschrieben werden. Die ekstatische Phantasie des Kindes gibt also augenblickshaft den Blick auf verborgene diskursive Grundlagen jener Gesellschaft frei, zu der das Kind eben nicht mehr (romantisch) einen Gegenpol bildet, der es vielmehr bereits verpflichtet ist. In der Form einer einmontierten subscriptio reflektiert die Prosaskizze diesen Zusammenhang, indem sie einen Satz lang aus der Beschreibung in den Kommentar wechselt, um die Phantasiewelt des Kindes auf die Begriffe der „ewige[n] Wiederkehr aller Dinge" und des „uralte[n] Rausch[es] der Herrschaft" zu bringen. Damit gibt sich diese kleine Skizze u.a. auch als emblematische Auseinandersetzung mit Grundthemen von Benjamins Philosophie zu erkennen, mit seiner Kritik an den teleologischen Konstruktionen der Geschichtsphilosophie mit ihren Entwürfen der Geschichte als Fortschritt zur Freiheit oder zur Vernunft, und mit der (von Adorno und Horkheimer später so genannten) „Dialektik der Aufklärung",[133] der verborgenen (gewaltsamen) Kehrseite des Aufklärungsprozesses. Die vermeintlich überwundene archaische Welt des Mythos und der Gewalt bricht in die avancierte Moderne des 20. Jahrhunderts wieder ein, und dies selbst an einem vermeintlich so unschuldigen Ort wie den Abenteuerphantasien des Kindes.

Benjamins Auseinandersetzung mit moderner Großstadterfahrung in der Kleinen Prosa der „Einbahnstraße", aber auch in seinen Aufzeichnungen „Berliner Kindheit um Neunzehnhundert" (1932-38), die autobiographische Miniaturen zum Gegenstand kulturkritischer Betrachtung machen, sowie sein unvollendetes „Passagen-Werk" verwandeln den Blick des Baudelaireschen Flaneurs in das poetologische Konzept einer neuen ‚Lektüre' urbaner Modernität jenseits der vertrauten Denkmuster. Auch der Philosoph Ernst Bloch (1885-1977) arbeitet in seinem Kurzprosaband „Spuren" (1930) mit der poetologischen Metapher von der Deutungsbedürftigkeit und Lesbarkeit der sozialen Welt. Wie schon der Titel der Sammlung andeutet, ist die kleine Form hier das literarische Medium eines programmatischen Blicks auf die „kleine[n] Dinge" und „Abfälle" des Lebens, auf „kleine Vorfälle als Spuren und Beispiele" verborgener anthropologischer, kultureller und gesellschaftlicher Gesetzmäßigkeiten (S. 16f.).[134] Im Gegensatz zu Benjamin verfährt Bloch jedoch nicht emblematisch, sondern anekdotisch und essayistisch. Das motivische Material seiner Reflexion sind selten Bilder, vielmehr überwiegend „Geschichten", die es „erzählend zu bedenken, denkend wieder zu erzählen" gilt (S. 16). Eine wichtige Rolle spielt dabei das Staunen über das „Unerhörte", das als „Einbruch des Potentiellen in das scheinbar unabänderlich Faktische"[135] utopische Qualität gewinnt.

Charakteristisch für Blochs diskursive Verschränkung von Narration und Reflexion, die sich durch ihren essayistischen, oft auch autobiographischen Gestus

von der poetischen ‚Erkenntnisprosa' Musils deutlich
unterscheidet, ist zum einen ihre philosophische Aus-
richtung auf Fragen der sozialen Anthropologie –
Blochs Kurzprosa steht deutlich in der Tradition der
französischen Moralistik. Zum anderen verwendet
Bloch Varianten des erzählten Erzählens, d. h. die
Mitteilung von Gesprächen oder Erzählungen anderer
als ein literarisches Verfahren der Multiperspektivität.
Unterschiedliche Erfahrungen, Vorstellungen und
Denkweisen werden so vorgeführt und einander ge-
genübergestellt, so dass das reflexive Moment in der
narrativen Textstruktur aufgehoben wird. So kontrastiert der Text „Kleiner Wechsel" beispielsweise unterschiedliche Bewertungen eines ambivalenten Charak-
ters zwischen Feigheit und Führungsanspruch (S. 13f.);
die Gesprächserzählung „Störende Grille" stellt die
skeptizistische Befürchtung eines ‚grillenhaften Man-
nes', was im ‚jetzigen Proleten' außer dem „miß-
glückte[n] Kleinbürger" noch an Unkalkulierbarem
stecken möge, gegen die utopische Überzeugung eines
Kommunisten, dass in dem „Genossen" kein verborgener anderer stecke, dass „der Mensch" vielmehr
„etwas" sei, „was erst noch gefunden werden muß" (S.
30-32). Diese Ansätze zur Multiperspektivität bleiben
durch den autobiographischen Erzählgestus allerdings
an ein wertendes Ich gebunden, das den Spielraum
der Reflexion deutlich begrenzt. Blochs moralistische
Schreibweise ‚fabelnden Denkens' (S. 16) lässt im
Grunde wenig offen. Das „Spurenlesen kreuz und
quer" (S. 17), das die kleine Form und zugleich die
motivisch-thematische Vernetzung der Aufzeichnungen poetologisch begründet, entfaltet einen Deutungs-
anspruch, dem wenig von den epistemologischen und
sozialen Erschütterungen der Moderne anzumerken
ist.

Am anderen Ende des politischen Spektrums der 1930er Jahre wirkt Ernst Jüngers (1895-1998) Kurzprosa in „Das abenteuerliche Herz" (2. Fassung 1938) infolge der schärferen Auseinandersetzung mit spezifisch moderner Wirklichkeitserfahrung seit dem Ersten Weltkrieg sowie durch ihre sprachliche Reduktion auch literarisch moderner – und dies trotz des gegen die Kontingenzerfahrungen gesetzten mystischen Modells einer geheimnisvollen „hohe[n] Ordnung" (S. 10) hinter der Oberfläche der Erscheinungen, deren „tiefere Wirklichkeit" gerade dann ahnbar wird, „wenn die Welt aus den Fugen geht" (S. 90).[136] Die „mitunter prätentiöse Geste des Weltdeuters" ist jedoch „mit einer außergewöhnlichen phänomenologischen Aufmerksamkeit und Wissbegier" verbunden.[137] Dies verpflichtet die Kurzprosa auf „Anschauung" (S. 84) und Erfahrung, auch wenn sie ‚Vexierbilder' der „verborgene[n] Korrespondenz [...] zwischen den Dingen" entwirft (S. 10, 105).

Jüngers Sammlung, deren Themen sich in charakteristischer Breite von der Natur über kulturkritische Betrachtungen bis zur Zeitgeschichte spannen, ist vor allem durch die Transformation der Tagebuchaufzeichnung in bildhafte, narrative oder essayistische Kurzprosa bedeutsam. Zu dieser Transformation, die sich in der völligen Umarbeitung der Erstfassung nochmals fortsetzt,[138] gehört neben der Auflösung der Tagebuchchronologie vor allem die stärkere literarische Durcharbeitung der Aufzeichnungen „mit dem Auge des Bildhauers" (S. 9) sowie ihre Verselbständigung durch die Einfügung von Überschriften. Diese Literarisierung der Tagebuchaufzeichnung im Grenzbereich zur Prosaskizze deutet bereits auf Gattungsentwicklungen nach 1945 voraus.

4.4. Traditionen und Neuansätze nach 1945

Vor der Folie der Produktivität and Vielgestaltigkeit der Kleinen Prosa in den 1920er und 1930er Jahren stellen sich die 1940er und 1950er Jahre eher als eine gattungsgeschichtliche Übergangszeit dar, in der gleichwohl wichtige Weichen für die weitere Geschichte der Kurzprosa seit den 1960er Jahren gestellt werden. Dies gilt zunächst für die Entwicklung neuer Formen autobiographischer Prosa, die sich – wie schon die Überkreuzung von Autobiographie und Denkbild in Walter Benjamins „Berliner Kindheit um Neunzehnhundert" (1932-38/1950) – von der Kohärenz der narrativen Retrospektive lösen, zumal in der Form der Anlehnung an die tagebuchartige Aufzeichnung (wie schon bei Ernst Jünger). Die Durchsetzung des literarischen Tagebuchs – wie Max Frischs erfolgreichem „Tagebuch 1945-1949" (1950) – gibt hier wichtige Anstöße. Die Kurzprosa von Marie Luise Kaschnitz zeigt exemplarisch die Bedeutung autobiographischen Schreibens und des literarischen Tagebuchs für Neuansätze im Bereich der Kleinen Prosa der Nachkriegszeit, an die die Aufzeichnungsprosa seit den 1970er Jahren dann anknüpfen konnte.

Für die Weiterentwicklung narrativer Kurzprosaformen ist darüber hinaus der Siegeszug der Kurzgeschichte von entscheidender Bedeutung, auch wenn dieses Leitgenre der Nachkriegszeit am Rande des in diesem Aufriss vorgestellten Feldes Kleiner Prosa steht. Mit der Kurzgeschichte findet die deutschsprachige Nachkriegsliteratur in besonderer Weise wieder Anschluss an die europäische und amerikanische Moderne und schon im weiteren Verlauf der 1950er Jahre beginnen Auflösungen und experimentelle Unterbietungen der Kurzgeschichte, die zur Kürzestgeschichte seit den 1960er Jahren führen.[139] Im Kontext der Krise des ‚bürgerlichen' Literatursystems am Ende der Nachkriegszeit, im kulturgeschichtlichen Umbruch der 1960er Jahre, tragen die Wiederentdeckung des Prosagedichts (z. B. bei Johannes Poethen und Rose Ausländer) und die Tradition der sprachexperimentellen Prosa der Moderne (etwa im Rahmen der österreichischen Avantgarde von H. C. Artmann bis Friederike Mayröcker) dazu bei, dass sich die Kleine Prosa erneut als Experimentalform moderner Literatur bewährt. Zu berücksichtigen ist schließlich die Kafka- und Surrealismus-Rezeption der Nachkriegszeit, aus der mit Günter Eichs „Maulwürfen" (1968) einer der wichtigsten Bezugspunkte für die Kleine Prosa der Gegenwart hervorgeht.

Herausragende Beispiele für die Kontinuitäten, Verschiebungen und Neuansätze in der Entwicklung der modernen Kurzprosa von der Vor- zur Nachkriegszeit sind die Sammlungen „Minima Moralia" (1951) von Theodor W. Adorno (1903-1969) und „Engelsbrücke. Römische Betrachtungen" (1955) von Marie Luise Kaschnitz, die durch ihren zeit- und kulturkritischen Blick trotz ihrer literarischen Unterschiedlichkeit untergründig miteinander verbunden sind. Adornos einflussreiche „Reflexionen aus dem beschädigten Leben" (so der Untertitel)[140] stehen als literarische Form philosophischen Denkens zweifellos auch in der Tradition des Aphorismus, der sich beispielsweise bei Friedrich Nietzsche essayistisch weitet, und doch verdeutlichen gerade die eingelagerten Aphorismenreihen im Kontrast mit den übrigen Stücken den Anschluss an die jüngere Kurzprosatradition der Moderne. Wie Ernst Blochs „Spuren" nehmen Adornos „Minima Moralia" ihren Ausgang „von subjektiver Erfahrung", „vom engsten privaten Bereich" (S. 16f.).[141] Jedoch wird diese subjektive Erfahrung nicht wie bei Bloch anekdotisch illustriert und moralistisch reflektiert, sondern sie bildet das Material einer strengen sozialanthropologischen, kulturkritischen und gesellschaftstheoretischen Reflexion, die vielfältig das Gesellschaftliche im Privaten ausleuchtet. Aus den verstörenden Erfahrungen des Nationalsozialismus und der Emigration heraus befasst sich Adornos Kurzprosa umfassend mit prägnanten Aspekten der sozio-ökonomischen, technischen und politischen, medialen und kulturellen Moderne – von seiner gültigen Kritik des Faschismus als eines gesellschaftlichen Phänomens über Fragmente zur ästhetischen Theorie bis zu seinem eher zeittypischen bildungsbürgerlichen Ressentiment gegen die ‚amerikanische' Moderne als Unkultur. Im Sinne der Maxime „Das Ganze ist das Unwahre" (S. 55) fungiert die kleine Form als ästhetischer Ausdruck eines zugleich empirischen, essayistischen und utopischen Denkens, das „in dem Blick" „aufs Grauen" und „im ungemilderten Bewußtsein der Negativität die Möglichkeit des Besseren festhält" (S. 26).

Mit Benjamins Denkbildern verbindet Adornos „Reflexionen aus dem beschädigten Leben" nicht nur der gezielte Blick auf die gesellschaftliche Wirklichkeit des 20. Jahrhunderts, sondern auch ein emblematisches Element. Dies tritt vor allem in jenen den einzelnen Texten vorangestellten Stichworten hervor, die selten als Überschrift das Thema des Stückes einfach bezeichnen, sondern zu diesem oft in einer unaufgelösten, metaphorischen Spannung stehen, die den Leser zum eigenständigen Weiterdenken anregt. Dem entsprechenden Spiel von Bild und Reflexion in Benjamins „Einbahnstraße" steht bei Adorno allerdings ein fast durchgängig diskursives Sprechen gegenüber; das bildhafte Element ist in die Einleitungsstichworte mit ihrer oft figurativen oder sprichwörtlichen Rede verlagert: „Rasenbank" heißt eine Reflexion über „die nackte Gewalt" im modernen „Generationsverhältnis"

(S. 22), „Fisch im Wasser" ein Stück über die Absorbie-
rung des Privaten und Individuellen durch das gesellschaftliche System (S. 23); „Asyl für Obdachlose" steht
als bildhafte Signatur für jene Reflexion über den Verlust des bergenden ‚Hauses' in der industriellen Konsumgesellschaft, die in die bekannte Maxime mündet:
„Es gibt kein richtiges Leben im falschen." (S. 42f.)
Auch die für die moderne Kurzprosa insgesamt typi-
schen Kompositionsprinzipien der motivisch-themati-
schen Variation und Vernetzung, Reihung und Entgegensetzung belegen die semantische Funktion der
kleinen Form als Ausdruck eines offenen, nicht-syn-
thetischen Denkens, wobei die *über* diese wechselseitigen Spiegelungen gelegte Einteilung des Bandes in
drei Teile mit den Datierungen 1944, 1945 und
1946/47 (tagebuchartig) den Ausgang von der eigenen
Erfahrung unterstreicht und diese zugleich in den
Kontext der Zeitgeschichte stellt, deren Kritik die Reflexionen gelten.

In ähnlichem Maße schließen Marie Luise Kaschnitz' „Römische Betrachtungen" „Engelsbrücke"
(1955) an die Vorkriegsformen der Kleinen Prosa zwischen Feuilleton und Denkbild an, um in der autobiographischen Wendung der emblematischen Prosaskizzen und der tagebuchartigen Komposition des Bandes
aus ganz unterschiedlichen Textformen jedoch einen
wichtigen Neuansatz zu unternehmen. Die kleine
Form spiegelt hier die „Zerstückelung" des „heutigen
Leben[s]" (S. 46)[142] und die Einsicht, dass „Versuche
der Zusammenschau des Getrennten" in der Moderne
„immer etwas Vorläufiges und Unzulängliches haben"
(S. 71). Einerseits reflektiert sich diese Kurzprosa
poetologisch als ein „Tagebuch" (S. 268), dessen „Betrachtungen" sich (ähnlich wie Adorno) ‚seismogra-
phisch' mit der Dialektik von privater Erfahrung und
kulturgeschichtlicher Entwicklung „Zehn Jahre nach

dem großen Krieg" auseinandersetzen (S. 80, 11); Kaschnitz ist darin (anders als Adorno) zugleich auf der (bildungsbürgerlichen) Suche nach der ‚richtigen', „humane[n] Mitte" sowie dem nur momenthaft noch aufscheinenden „Zusammenhang mit dem Bleibenden" (S. 12, 70f.). Andererseits überkreuzt sich der nur mehr angedeutete tagebuchartige Rahmen mit der Wiederanknüpfung an die emblematische Kurzprosa Benjaminscher Prägung, indem Rom nicht nur als Ort der Geschichte, sondern auch als „moderne Großstadt" wahrgenommen wird, deren „Spannungen" und „Gegensätze" vielfältig beleuchtet werden (S. 9). Schon in dem Titel „Engelsbrücke" chiffriert das Ineinander von Großstadttopographie, historischem Ort und metaphysischer Metapher die spezifische Brechung, in der Kaschnitz hier die Tradition der modernen Prosaskizze adaptiert. Der poetologische Leitbegriff der „Betrachtung" markiert in diesem Sinne die charakteristische Spannung von „Sehen und Denken" (S. 187), „rechte[m] Hinschauen" und ‚vernünftigem Aufzeichnen' (S. 256, 269).

In formaler Hinsicht geht Kaschnitz über die tagebuchartige Kurzprosa Jüngers oder die Vielfalt von Benjamins „Einbahnstraße" noch hinaus. Neben emblematischen Prosaskizzen und Kurzessays, Traumskizzen und tagebuchartigen Aufzeichnungen finden sich beispielsweise Minimalerzählungen und Schicksalsskizzen, Reise- und Werkskizzen, so dass der thematischen Vielfalt im Rahmen des kaleidoskopischen Grundzugs moderner Kurzprosasammlungen eine formale entspricht. Dass sich die Schreibweise für jedes Sujet in dem gesetzten Spielraum der Kleinen Prosa ihre eigene Struktur sucht, ist bei Kaschnitz auch in werkgeschichtlicher Hinsicht ein Movens der Entwicklung immer neuer Kurzprosaformen. Das Experiment mit den Möglichkeiten der Kleinen Prosa führt

von „Engelsbrücke" über „Wohin denn ich" (1963)
und das Tagebuch „Tage Tage Jahre" (1968) bis zu
„Steht noch dahin" (1970) und „Orte" (1973), wobei
die Autorin sich zunehmend von den Denkmustern
der humanistischen bürgerlichen Bildung befreit.
Kaschnitz' späte Kurzprosabände sind durch ästhetische Konzentrationen und Experimente geprägt, die
mit ihrer Verbindung von Zeitkritik, autobiographi-
schem Schreiben und literarischer Selbstreflexion an
der produktiven Krise der Literatur in den 1960er
Jahren partizipieren und in vielem bereits auf die
Kleine Prosa der Gegenwart vorausweisen. Der Weg
der Autorin von den Prosa- und Reiseskizzen der Vorkriegszeit über die eigenständige Amalgamierung tradierter kleiner Prosaformen der Moderne in der Nachkriegszeit bis zur Entwicklung eigener Formen zwischen moderner Kurzprosa und Tagebuch mündet
damit in den gattungsgeschichtlichen Neuansatz der
1960er und 1970er Jahre.[143]
   Die gilt insbsondere für den Band „Steht noch dahin", dessen Prosaskizzen, Prosagedichte und andere
Texte (z. B. satirische Rollenprosa und bewusstseins-
kritische Sprachspiele) nicht nur erheblich kürzer sind
als die stärker tagebuchartigen und essayistischen
Stücke in „Engelsbrücke", sondern auch radikaler in
ihrer kritischen Zeitgenossenschaft. Charakteristisch
ist die groteske Verwandlung des Alltäglichen im
Sinne moralischer Zeit- und Bewusstseinskritik wie
z. B. in der folgenden Prosaskizze:

Die Kinder

Endlich habe auch ich die streunenden Kinder gesehen. In
den Händen hielten sie alte Flinten und Stöcke, Handgranaten baumelten ihnen an den Gürteln, die meisten von ihnen
waren barfuß, einige nackt. Sie liefen über die sumpfigen
Wiesen von Bonames, dort wo einmal die jetzt regulierte

Nidda floß. Als sie näher kamen, sah ich, daß ihre kleinen Bäuche aufgetrieben waren und daß das Weiß in ihren Augen gelb war. Sie stolperten und stießen einander vorwärts, sie kickten Steine, wer einen Frosch fand, steckte ihn lebendig in den Mund. Ich stellte mich den Kindern in den Weg, plapperte und flehte, kommt mit mir, man wird euch zu essen geben, ihr werdet unter warmen Decken schlafen. Die Kinder hielten nicht an, die Handgranaten schlugen gegen ihre Knie, sie gingen durch mich hindurch wie durch die Luft.[144]

In der phantastischen Form eines Alptraums überblendet diese Prosaskizze die Fernseh- und Zeitschriftenbilder des Biafrakrieges (neben dem Vietnamkrieg der erste in dieser Form medial aufbereitete Krieg) mit der eigenen Erfahrung katastrophischer Gewaltgeschichte im Zweiten Weltkrieg, den Kaschnitz am Frankfurter Schauplatz der Skizze erlebt hat. Die Entstellung und das Leid der Kinder symbolisieren eine abgründige Zerstörung der Kultur, der sich das Ich vergeblich entgegenzustellen versucht. Mit der ins Bild gesetzten Hilflosigkeit des einzelnen angesichts der Permanenz der Gewalt in der Welt verbindet sich aber auch die Kritik an jener vom Ich verkörperten Haltung des Fernsehzuschauers der westlichen Wohlstandsgesellschaft, der gegen alle Evidenz weiter auf eine moralische Weltordnung vertraut, auf das „man" helfender internationaler Institutionen. Die Bewusstseins- und Medienkritik dieses Denkbildes zielt also selbstkritisch auf einen westlichen Blick, der auf die Not in der außereuropäischen Welt mit einer Mischung von Verdrängung – „Endlich" hat auch das Ich die offenbar schon bekannten Bilder gesehen – und folgenlosem Mitleid reagiert. Wenn die Kriegskinder am Schluss durch das Ich hindurchgehen „wie durch die Luft" und damit die Existenz des Ich symbolisch in

Frage stellen, so veranschaulicht diese phantastische Verfremdung der Fernsehperspektive die Unfähigkeit der vorgeführten Haltung, auf die Weltgeschichte im Sinne der Lehren aus dem Zweiten Weltkrieg Einfluss zu nehmen.

Die Verarbeitung aktueller (auch medialer) Wirklichkeit in Prosaskizzen, die als zeitkritische Denkbilder gestaltet sind, verbindet Kaschnitz' Band „Steht noch dahin" mit jener operativen Poetik Kleiner Prosa, die Benjamins „Einbahnstraße" zugrunde liegt, und sie demonstriert zugleich, wie sich Kleine Prosa in dem politisierten literarhistorischen Kontext der späten 1960er Jahre als experimentelle Form literarischer Gesellschaftskritik zu bewähren vermag. Die phantastischen, traumlogischen und grotesken Momente ihrer Zeitkritik führen Kaschnitz darüber hinaus in die Nähe jener eigenständigen Form Kleiner Prosa, mit der Günter Eich (1907-1972) in seinen Sammlungen „Maulwürfe" (1968) und „Ein Tibeter in meinem Büro" (1970) einen für die Gegenwartsliteratur bereits kanonisch gewordenen Beitrag zur Geschichte der Kurzprosa geleistet hat. In spielerischer Form und teils politischer Akzentuierung sind auch Eichs „Maulwürfe" zeitkritisch ausgerichtet, indem sie vom Alltag in der kapitalistischen Konsum- und Arbeitsgesellschaft über die Notstandsgesetze bis zur Entdeckung der ‚Dritten Welt' und zu anderen Aspekten der intellektuellen Linken in den 1960er Jahren ein breites Panorama aktueller Themen einfangen und einer literarischen Diskurskritik unterziehen, die sich jeder ideologischen Festlegung verweigert. Liegt ein Schwerpunkt bei Kaschnitz auf der Suche nach prägnanten literarischen Sinnbildern der Zeit, so konzentriert sich Eich auf die sprachkritische Aufdeckung und Dekonstruktion herrschender Denkmuster in Gesellschaft, Politik und Literatur. Elemente kafkaesker

Traumlogik, dadaistischer Spielfreude und surrealistischer Verfahren eigenständig kombinierend, entwickelt er einen prägnanten Stil Kleiner Prosa, der einmal mehr tradierte Gattungen hinter sich lässt, um in grotesker, anarchischer und höchst komischer Form gegen die ausgestellten Muster herrschenden Denkens und Sprechens die Freiheit der Phantasie zu behaupten – bis hin zum Kalauer und zum Nonsens.

Die „Präambel" seiner „Maulwürfe" erläutert nicht nur in bildhafter Form das poetologische Programm von Eichs Kleiner Prosa, sondern illustriert zugleich auch das Verfahren dieses „poetischen Anarchismus"[145]:

Präambel
Was ich schreibe, sind Maulwürfe, weiße Krallen nach außen gekehrt, rosa Zehenballen, von vielen Feinden gern als Delikatesse genossen, das dicke Fell geschätzt. Meine Maulwürfe sind schneller als man denkt. Wenn man meint, sie seien da, wo sie Mulm aufwerfen, rennen sie schon in ihren Gängen einem Gedanken nach, an eingesteckten Grashalmen könnte man ihre Geschwindigkeit elektronisch filmen. Andern Nasen einige Meter voraus. Wir sind schon da, könnten sie rufen, aber der Hase täte ihnen leid. Meine Maulwürfe sind schädlich, man soll sich keine Illusionen machen. Über ihren Gängen sterben die Gräser ab, sie machen es freilich nur deutlicher. Fallen werden gestellt, sie rennen blindlings hinein. Manche schleudern Ratten hoch. Tragt uns als Mantelfutter, denken sie alle.[146]

Die unkalkulierbare Bewegung des Maulwurfs fungiert als poetologisches Bild für ein Schreiben, das mit anarchischem Humor und lateralem Denken überraschenden Assoziationen nachgeht und vermeintlich vertraute Sachverhalte, Denk- und Sprachmuster so mit ‚schädlichem', bewusstseinskritischem Effekt in ein ungewohntes Licht stellt. Je willkürlicher die Assozationssprünge erscheinen, desto mehr provozieren die Texte die Kohärenzanstrengung des Lesens, werfen den Leser auf die Reflexion seiner eigenen Lektüre-erwartungen und Denkgewohnheiten zurück und zwingen ihn zur (lustvollen, aber auch unabschließba-ren) Suche nach der verborgenen Logik der eigensin-nigen Textur. Wortspielerisch meint das poetologische Bild des ‚Maul-wurfs‘ daher zugleich die Textproduk-tion selbst als aus dem ‚Maul‘ geworfene Rede.

Eichs phantasievolles Verfremdungsverfahren ar-beitet insbesondere mit der Dekonstruktion geläufiger Metaphorik und mit dem Spiel mit sprichwörtlichen Redensarten und Stereotypen, die – wörtlich genom-men oder gar ineinander geschoben – herrschende Vorstellungen und Redemuster grotesk-komisch er-hellen und geradezu kabarettistisch ad absurdum füh-ren. So mokiert sich der Text „Baumwolle" beispiels-weise in ironischer Mimikry wissenschaftlicher, wirt-schaftlicher und politischer Sachprosa in rascher Folge über die ‚sexuelle Revolution‘ der 1960er Jahre, die Faszination durch indische Meditationslehren, die Durchsetzung der Soziologie als neuer Leitdisziplin, den Ost-West-Konflikt des Kalten Krieges, den ideolo-gischen Antikommunismus und das Vertrauen auf den technologischen Fortschritt,[147] um so mit listiger Nai-vität eine Welt verkehrten oder jedenfalls willkürlichen Denkens und Meinens zu exponieren.

Kaschnitz' moralische Zeitkritik und Eichs anarchi-sche Diskurskritik berühren sich in einzelnen, im en-geren Sinne sprachspielerischen Kurzprosastücken[148] schließlich auch mit der experimentellen Prosa der 1960er Jahre, wie sie die „Textbücher" (1960-1967) von Helmut Heißenbüttel (*1921), das „Lesebuch" (1967) von Franz Mon (*1926) und die Trilogie „Fel-der" / „Ränder" / „Umgebungen" (1964/68/70) von Jürgen Becker (*1932) repräsentieren. An die Stelle der erkundenden und kritischen Phänomenologie der sich beschleunigt wandelnden sozialen Welt der (urbanen) Moderne, wie sie für die Traditionslinie Baudelaire – Altenberg – Benjamin charakteristisch ist, tritt hier emphatisch – um mit Heißenbüttel zu sprechen – eine „Phänomenologie der menschlichen Rede"[149] in gesellschaftskritischer Absicht. „Weil die verbindlichen Vorprägungen des Sprechens, vom einfachen Satz bis zu den literarischen Gattungen, ihre Verbindlichkeit [...] verloren haben" und in reiner „Konventionalität" erstarrt sind, so Heißenbüttel,[150] inszeniert die sprachexperimentelle Literatur der 1960er Jahre auf der Suche nach ‚neuen Sprechmöglichkeiten' mit Hilfe vielfältiger „Manipulationen innerhalb und außerhalb und an den Grenzen der Sprache" die „Rückführung und Rückbesinnung der Sprache auf sich selbst".[151]

Für diese experimentelle Revision tradierter Schreibweisen (einschließlich jener der Nachkriegsliteratur) besitzen die kleinen Formen entscheidende Bedeutung, da sie nicht in gleichem Maße wie die etablierten Großgattungen (allen voran der Roman) als Repräsentanten des kritisierten ‚bürgerlichen' Literatursystems wahrgenommen werden, da sich Kleine Prosa zudem einer Festlegung auf tradierte Genremuster weithin entzieht und da die kleinen Formen sich besonders für das Durchspielen experimenteller Verfahren in vielfältigen Variationen eignen. An Beckers Prosatrilogie „Felder" / „Ränder" / „Umgebungen" ist exemplarisch zu beobachten, wie die sprachexperimentelle Avantgardepoetik der 1960er Jahre zu Serien kleiner Texte und Textstücke führt, die jeweils unterschiedlichen Sprachspielregeln und Dekonstruktionsverfahren gehorchen. Umgekehrt bedeutet der serielle Ansatz dieser radikalen Inventur literarischen Sprechens aber auch, dass die Einzelstücke nicht in gleichem Maße selbständig sind wie beispielsweise die Prosaskizzen bei Kaschnitz und Eich. Insofern handelt es sich bei der sprachexperimentellen Literatur der 1960er Jahre, die beispielsweise im Werk von Friederike Mayröcker (*1924) bis in die Gegenwart hineinwirkt,[152] um ein Phänomen am Rande der Geschichte Kleiner Prosa, das durch Austauschbezüge zu anderen kleinen Formen sowie durch die Wiederanknüpfung an sprachreflexive und experimentelle Verfahren der literarischen Moderne jedoch auf die weitere Entwicklung der Kurzprosa seit dem literatur- und kulturgeschichtlichen Umbruch der späten 1960er Jahre erheblichen Einfluss genommen hat.

4.5. Konturen der Kleinen Prosa in der Gegenwart

4.5.1. Aufzeichnungsprosa

Im Anschluss an die entsprechenden Ansätze bei Elias Canetti,[153] an die Überkreuzung von Tagebuchaufzeichnung und Prosaskizze bei Ernst Jünger und Marie Luise Kaschnitz, an autobiographische Prosaskizzen wie Walter Benjamins „Berliner Kindheit" sowie an die breitere Durchsetzung des Tagebuchs als eigener literarischer Form in der Nachkriegszeit etabliert sich autobiographisch geprägte Aufzeichnungsprosa seit den 1970er Jahren als ein neuer Schwerpunkt in der Geschichte Kleiner Prosa. Literarhistorisch beginnt diese Entwicklung im Kontext jener als ‚Neue Subjektivität' bezeichneten Rückwendung auf das Subjekt und seine Lebenswelt, die sowohl als Abschied von der politischen und experimentellen Literatur der 1960er Jahre als auch als Vertiefung des kulturellen Umbruchs von ‚1968' in die literarische Auseinandersetzung mit dem gesellschaftlichen Alltag und den Identitätsproblemen des Einzelnen gelesen werden kann.

Die neue Aufzeichnungsprosa befreit sich (in unterschiedlichem Maße) vom chronologischen Gerüst des Tagebuchs, unterläuft (wo die Aufzeichnungen als Reflexionsprosa fungieren) die strengeren Formtraditionen des Aphorismus und unterbietet (wo sie Beobachtung bildhaft verdichten) auch die Tendenz der autobiographischen Kurzprosastücke bei Jünger und Kaschnitz zur durchkomponierten Prosaskizze. Charakteristisch ist das Spannungsverhältnis von tagebuchartigen und aphoristischen Momenten, das ggf. emblematisch, essayistisch oder narrativ erweitert werden kann. Auch wenn einzelne der Aufzeichnungen sich älteren Gattungsmustern zuordnen lassen (dem Aphorismus, dem Apophthegma, der Traumerzählung, der Reiseskizze usw.), ist die Aufzeichnungsprosa damit (wie die avancierten Formen der modernen Kleinen Prosa insgesamt) wiederum auf der Suche nach einem literarischen Freiraum jenseits der Gattungen und Konventionen, den die AutorInnen in je eigener Weise konturieren und nutzen. Grundsätzlich fungiert die Aufzeichnung in der Gegenwartsliteratur als dezidiert offene und flexible Form der literarischen Beobachtung und Betrachtung von Individuum und Welt in der Bewegung zwischen subjektiver Wahrnehmung und auf Allgemeines gerichteter Reflexion. Die Anknüpfung an Tagebuch und Aphorismus schlägt sich nicht zuletzt in der Verkettung der Aufzeichnungen zu Serien nieder. Anders als Feuilletons, Prosagedichte, Prosaskizzen oder Kürzestgeschichten bedürfen Aufzeichnungen (prinzipiell) des Kontextes der Aufzeichnungssammlung;[154] ihnen ist also ein Spannungsverhältnis von Teil und Ganzem eingeschrieben, das unterschiedlich ausgestaltet werden kann.

102

Am nächsten am eigentlichen Tagebuch bleibt Peter Handke (*1942) mit seinen vier ‚Journalen‘ „Das Gewicht der Welt" (1977), „Die Geschichte des Bleistifts" (1982), „Phantasien der Wiederholung" (1983) und „Am Felsfenster morgens (und andere Ortszeiten 1982-1987)" (1998), in denen teils auch sporadische Datierungen an die Tagebuchchronologie erinnern. Gleichwohl betont Handke im Vorwort zu seinem ersten Journal „das Erlebnis der Befreiung von gegebenen literarischen Formen", das ihm „die spontane Aufzeichnung zweckfreier Wahrnehmungen" vermittelt habe, und begreift die Aufzeichnung als eine „mir bis dahin unbekannt[e] literarisch[e] Möglichkeit"[155]. Handkes Aufzeichnungen, die formal von tagebuchartigen Wahrnehmungs- und Gedankennotizen über aphoristische Reflexionsprosa bis zu Kurzessays und episodischen Minimalerzählungen reichen, zielen (insbesondere in „Das Gewicht der Welt") programmatisch auf die „Fast-Gleichzeitigkeit der Reflexe und ihrer Aufzeichnung", auf den Versuch, „auf alles, was mir zustieß, sofort mit Sprache zu reagieren"[156]. Dieser sprachreflexive Entwurf einer „Metaphysik der Präsenz"[157] ist zumindest anfangs noch Teil jener literarischen Strategien, mit denen der Autor die Sprachskepsis seines experimentellen Frühwerks überwindet;[158] das Ringen um den subjektranszendierenden „Augenblick der Sprache"[159] zielt als Wahrnehmungsschule auf höchste Aufmerksamkeit bei gleichzeitiger Arbeit an einer spontanen und doch angemessenen Verschriftlichung der Beobachtungen und Gedanken. Im Vorwort seines jüngsten Journals hat Handke die Bezeichnung seiner Aufzeichnungen als „Maximen und Reflexionen" (im Anschluss also an die Gattungstradition des Aphorismus) daher ausdrücklich abgelehnt und stattdessen noch einmal von schriftstellerischen „Reflexe[n]" gesprochen, Reflexen allerdings, die –

der für die Aufzeichnung charakteristischen Spannung von Besonderem und Allgemeinem entsprechend – „aus einer Bedachtsamkeit kommen, einer grundsätzlichen"[160] und so über den Autor hinaus auch für das Wahrnehmungs- und Sprachbewusstsein des Lesers Bedeutung gewinnen. Die Öffnung der Aufzeichnungen auf ein Weiterdenken durch den Leser wird stilistisch nicht zuletzt dadurch markiert, dass Handke am Ende seiner Notate keine Punkte setzt.

Andere Autoren haben den für die Aufzeichnung konstitutiven Freiraum zwischen autobiographischen, aphoristischen und anderen Kurzprosaformen systematischer erprobt. So übersetzt Gerhard Amanshauser (*1928) die Spannung von autobiographischen und aphoristischen Momenten in seinem Band „Grenzen. Aufzeichnungen" (1977) in ein Kompositionsprinzip, indem er autobiographischen Skizzen (die in der Benjamin-Tradition Kindheits- und Jugenderinnerungen mit bildhaften „Milieuschilderungen"[161] verbinden) in chronologischen Kapiteln jeweils aphoristische Reflexionen der in diesen Miniaturen angeschlagenen Themen folgen lässt. Hier reflektiert die Anordnung der Aufzeichnungen also die für die Kleine Prosa charakteristische Bewegung der Gattungstranszendierung. Wie Handke hat Jürgen Becker in seiner Sammlung „Die Türe zum Meer" (1983) seine sprachexperimentellen Verfahren der 1960er Jahre zugunsten einer tagebuchartigen Aufzeichnungsprosa aufgegeben. Hier tritt die chronologische Struktur des Tagebuchs allerdings weitgehend zurück, die Einzelstücke verselbständigen sich und verdichten sich mit ihrem genauen Blick auf die Lebens- und Umwelt des schreibenden Ich (wie in Kapitel 3.4. bereits illustriert) immer wieder zu bildhaften Prosaskizzen. Zugleich ist Beckers Sammlung ein Beleg für die Wiederentdeckung der Natur als Thema der Kleinen Prosa seit den 1980er

Jahren, wie sie sich z. B. auch bei Sarah Kirsch, Christoph Wilhelm Aigner, Zsuzsanna Gahse oder Botho Strauß findet. Bei Becker begründen der Abschied von der urbanen Moderne und die Wiederentdeckung einer dörflichen Kulturlandschaft einen exzentrischen, oft das Groteske streifenden Blick auf die spätmoderne Gesellschaft der Bundesrepublik und zugleich setzt die soziale Ekstatik der Beobachterposition, in der „[n]ichts [...] die Bewegung der Tage [stört]",[162] eine Imaginationskraft frei, die die Welt momentweise ins Phantastische verschiebt (wie im Titel des Bandes bereits angedeutet). Auch solche grotesken und phantastischen Momente erweisen sich als ein wiederkehrendes Charakteristikum kleiner Gegenwartsprosa.

Kaschnitz hatte für die kompositorische Anordnung der autobiographischen Aufzeichnungen in ihrem letzten Kurzprosaband „Orte" (1973) auf äußere Ordnungsmodelle (wie die Chronologie) ganz verzichtet und stattdessen mit dem (scheinbar willkürlichen) Prinzip der wechselseitigen thematisch-motivischen Spiegelungen selbständiger Einzelstücke innerhalb des poetischen Raumes der entworfenen Gedächtnistopographie gearbeitet. Demgegenüber orientieren sich die bisher genannten jüngeren Beispiele der Aufzeichnungsprosa wieder an der Tagebuchchronologie oder kombinieren sie (wie Amanshauser) mit thematischen Anordnungen, die eher der Aphorismustradition verpflichtet sind. Einen ganz eigenständigen Versuch, die Aufzeichnungen durch Reflexionsketten, motivisch-thematische Linien und auch narrative Fäden enger aneinanderzubinden, unternimmt Wolfdietrich Schnurre (*1920) in seinem daher von der Forschung als „Aufzeichnungswerk"[163] bezeichneten Band „Der Schattenfotograf" (1978). Diese Verknüpfung der Aufzeichnungen zu einem homogeneren Ganzen übernimmt vom literarischen Tagebuch Max Frischscher

Prägung die Vielfalt der Textformen und von Aphorismenreihen die thematische Vernetzung, zielt über die lockere kaleidoskopische Komposition von Kaschnitz' „Orte" jedoch hinaus.

Einen deutlichen Schritt weiter in der von Kaschnitz vorgegebenen Richtung geht dagegen Johanna Walser (*1957), indem sie in ihren Kurzprosabänden „Vor dem Leben stehend" (1982) und „Versuch, da zu sein" (1998) eine eigene Form autobiographischer Aufzeichnungsprosa entwickelt, die zwar tagebuchartig von Empfindungen und Gedanken des schreibenden Ich ausgeht, sich von jeder Tagebuchchronologie aber vollständig löst. Zugleich verzichtet Johanna Walsers Ich darauf, seine Reflexionen aphoristisch zu pointieren, und gewinnt auch hierdurch Bewegungsfreiraum. Kennzeichnend ist vielmehr (ähnlich wie bei Becker) die Einbindung von Gedanken, Wahrnehmungen und Gefühlen in genau entworfene Situationen des Alltagslebens. Diese Situationsbindung gibt einerseits Anlass zu narrativen Weiterungen (im zweiten Band bis hin zu kurzen Erzählungen), andererseits führt sie in die Nähe bildhafter Prosaskizzen. Walsers Aufzeichnungen veranschaulichen damit die Übergänglichkeit zwischen den einzelnen Spielarten Kleiner Prosa in der Gegenwart und das Zusammenspiel unterschiedlicher Schreibweisen in einzelnen Autorpoetiken und Bänden, das im Kurzprosawerk von Botho Strauß (*1944) besonders deutlich hervortritt.

Strauß ist nicht nur der Autor mit dem umfangreichsten Werk kleiner Gegenwartsprosa, er hat (mit Ausnahme des Prosagedichts) in seinen sukzessiven Bänden praktisch auch das ganze Spektrum der historisch verfügbaren Formen Kleiner Prosa durchgespielt. Ausgehend von einer Wiederanknüpfung an das Denkbild Benjaminscher Prägung in seinem ersten Kurzprosaband „Paare, Passanten" (1981) erprobt er in „Beginnlosigkeit" (1987) und „Wohnen Dämmern Lügen" (1994) narrative Weiterungen der Prosaskizze, um in einer zweiten Linie seines Kurzprosawerks – in den Bänden „Fragmente der Undeutlichkeit" (1989), „Beginnlosigkeit. Reflexionen über Fleck und Linie" (1992) und „Das Partikular" (2000) – parallel die Möglichkeiten aphoristischer und essayistischer Aufzeichnungsprosa als Reflexion philosophischer, kultureller und naturwissenschaftlicher Grundfragen der Gegenwart auszuloten.[164] Die kleine Reflexionsprosa wird hier zum Medium einer zunehmend radikalen Kultur- und Gesellschaftskritik, die sich im Rückgang auf romantische Topoi und in gedanklicher Nähe zur Neuen Rechten[165] von der Rationalität und den Fortschrittsutopien der Moderne ebenso zu verabschieden sucht wie von dem (linken) intellektuellen Erbe der 1960er Jahre.

In seinen Kurzprosabänden „Die Fehler des Kopisten" (1997) und „Der Untenstehende auf Zehenspitzen" (2004) hat Strauß sein kulturkritisches Programm dann autobiographisch gewendet, indem er es in den Rahmen tagebuchartiger Aufzeichnungen einbettet. Der Bogen eines Jahres, das ein Vater mit seinem Sohn bis zu dessen Einschulung verbringt, verleiht der radikalen Absage an die spätmoderne Medien- und Konsumgesellschaft und an ihren Liberalismus sowie der kontrapunktischen Wiederentdeckung der Natur und des familialen Alltags in bildhaften Prosaskizzen in „Die Fehler des Kopisten" einen narrativen Zusammenhang und ein thematisches Zentrum. Die Wiederentdeckung der unmittelbaren Lebensumwelt durch die Augen des Kindes (und in der Erinnerung an die eigene Kindheit) schreibt den kulturkritischen Aufzeichnungen die geschichtsphilosophische Frage nach Möglichkeiten und Grenzen eines historischen Paradigmenwechsels ein. In „Der Untenstehende auf Zehenspitzen" übernimmt dann die Natur diese utopische Funktion, so dass sich Naturbeobachtungen im Kontext der Sammlung in kulturkritische Prosaskizzen verwandeln, obwohl ihr Gestus (wie in folgendem Beispiel) scheinbar ganz ins Deskriptive zurückgenommen ist:

Der warme Atem der Weide am Abend. Die heitere Dünung am Himmel, das rotgoldene Wolkenvlies, am Boden schon die Nachtskulpturen der Bäume und Sträucher. Ein Turmfalke jagt eine Handvoll Spatzen, die im Gebüsch verschwinden. Er hockt zur Erde, seine Fänge, als hielten sie Beute, greifen und krallen, das ganze Programm des Schlagens läuft leer in den Muskeln ab.[166]

Diese Beschreibung einer bildhaften Naturerscheinung arbeitet ohne emblematische Überhöhung, und der partielle Verzicht auf Verben, die Metaphorisierung der Himmelserscheinungen („Dünung", „Vlies") sowie die künstlerische Modellierung des Blicks („Nachtskulpturen") unterstreichen die fast lyrische Intensivierung des Augenblicksbildes; das Verhalten des Turmfalken im vergeblichen Griff nach der Beute wird nicht ausdrücklich moralisiert. Blickt man jedoch auf die Funktion solcher Naturskizzen im Gesamtzusammenhang des Bandes und insbesondere auf die Serie der Frühlingsskizzen, die am Schluss den kulturkritischen „Blick zurück auf das zwanzigste Jahrhundert",[167] der die aphoristischen und tagebuchartigen Reflexionen der Sammlung prägt, symbolisch in die Hoffnung auf einen geschichtlichen Neuanfang umwendet, so wird deutlich, dass die Naturskizzen des Bandes als signifikante Kontrapunkte der sozialen Welt fungieren und damit Teil des radikalen kulturkritischen Programms sind, das der Autor in diesem Band entwirft. Im thematischen Gesamtzusammenhang der Sammlung stellt sich das leerlaufende Bewegungprogramm des Jagdvogels durchaus als Analogon der vom Autor kritisierten ideologischen Verblendungen und Automatismen der deutschen Gegenwartsgesellschaft dar, deren ‚Programm‘ in dieser kulturkritischen Sicht ebenfalls ‚leerläuft‘.

4.5.2. Kürzestgeschichten

Schon in der Hochzeit der Kurzgeschichte, in den beiden Nachkriegsjahrzehnten, beginnen Autoren wie Heimito von Doderer, Günter Kunert, Helmut Heißenbüttel, Wolf Wondratschek oder Gabriele Wohmann mit Minimalformen des Erzählens zu experimentieren, die das Format der Kurzgeschichte nochmals unterbieten. Für diese narrativen Kleinstformen nach 1945 hat sich in der didaktischen Literatur Doderers Begriffsprägung ‚Kürzestgeschichte‘ durchgesetzt. Bestärkt durch die Prosaexperimente der 1960er Jahre setzt sich diese Linie narrativer Kleiner Prosa in die Gegenwart fort, wobei die Tendenz der Kürzestgeschichte zum experimentellen Spiel mit Erzählkonventionen und Lesererwartungen sowie zu phantastischen Verfremdungen und grotesken Pointierungen bestärkt wird.

Eines der prägnantesten Modelle der Kürzestgeschichte hat der österreichische Dramatiker und Erzähler Thomas Bernhard (1931-1989) in seinem einzigen Kurzprosaband „Der Stimmenimitator" (1978) entwickelt, indem er im Rückgang auf seine frühen Erfahrungen als Gerichtsreporter Elemente anekdotischen Erzählens für eine grotesk-komisch pointierte Darstellung der österreichischen Gesellschaft adaptiert. Ein Beispiel für Bernhards Spiel mit dem Strukturmodell der Anekdote und für die stilistischen Verfahren seiner Sprach- und Bewusstseinskritik bietet folgender Text, der (anders als die meisten Stücke des Bandes) ohne einen überraschenden Todesfall auskommt:

Fast

Auf unserem letzten Ausflug in das Möllntal, in welchem wir, gleich in welcher Jahreszeit, immer glücklich gewesen sind, haben wir uns in einem Wirtshaus in Obervellach, das uns von einem Arzt aus Linz empfohlen worden war und das uns nicht enttäuscht hatte, mit einer Gruppe von Steinmetzgehilfen unterhalten, die nach Feierabend in dem Wirtshaus zusammengesessen sind und Zither gespielt und gesungen und uns auf diese Weise wieder auf die unerschöpflichen Schätze der Kärntner Volksmusik aufmerksam gemacht haben. Zu vorgerückter Stunde hatte sich die Steinmetzgehilfengruppe an unseren Tisch gesetzt und jeder einzelne aus ihr hat etwas *Merk*würdiges oder etwas *Denk*würdiges aus seinem Leben zum besten gegeben. Dabei ist uns besonders jener Steinmetzgehilfe aufgefallen, der berichtet hat, daß er mit siebzehn Jahren, um eine mit einem Arbeitskollegen abgeschlossene Wette zu gewinnen, auf die bekanntlich sehr hohe Kirchturmspitze in Tamsweg gestiegen ist. *Fast* wäre ich tödlich abgestürzt, hat der Steinmetzgehilfe gesagt und er betonte darauf ausdrücklich, daß er dadurch *fast* in die Zeitung gekommen wäre.[168]

Die Struktur des erzählten Erzählens, die soziale Situierung der Erzählsituation im Wirtshaus sowie die Ankündigung von „etwas *Merk*würdige[m] oder etwas *Denk*würdige[m]" ruft hier ausdrücklich die Erwartung einer Anekdote auf, die dann aber durch das bereits im Titel angekündigte Nicht-Ereignis in grotesk-komischer Weise enttäuscht wird: Der junge Handwerker scheint geradezu zu bedauern, dass er nicht (wie befürchtet) von dem erklommenen Kirchturm tödlich abgestürzt und daher auch nicht „in die Zeitung gekommen" ist. Die Pointe dieser Kürzestgeschichte liegt

also nicht im Geschehen (wie in der klassischen Anekdote), sondern in jenem überraschenden Einblick in
das Denken und die Vorstellungswelt der österreichischen Gesellschaft, der dem Text eine parabolische
Qualität verleiht.[169] Diese satirische Bewusstseinskritik
gilt aber nicht nur der kleinbürgerlichen Provinzwelt
der Handwerker, die durch riskante Wetten und den
Wunsch nach Zeitungsruhm in absurder Weise um An-
erkennung ringen, sondern ebenso der in der Rah-
menerzählung   ausgestellten   bildungsbürgerlichen
„wir"-Instanz, die in dem langen, verschachtelten Ein-
leitungssatz ihr elitäres Bewusstsein, ihr Status- und
Anspruchsdenken und zugleich ihre Orientierung an
Klischeevorstellungen („die unerschöpflichen Schätze
der Kärntner Volksmusik") preisgibt.
   Die Unzuverlässigkeit der sich in Digressionen und
Einschüben spreizenden Erzähler – die Empfehlung
des Arztes beispielsweise oder die Beteuerung, an dem
Ausflugsziel „immer glücklich gewesen" zu sein, sind
für das Weitere völlig irrelevant –, die Irritation der
Grenze zwischen Fiktion und Realität durch die
„Pseudokonkretheit"[170] der Ortsangaben (sowie durch
Bezüge auf angebliche Zeitungsberichte), das Spiel mit
dem Wissen und den Haltungen des Lesers – der
Kirchturm in Tamsweg ist „bekanntlich" sehr hoch, in
anderen Texten wird „natürlich" genannt, was alles
andere als selbstverständlich ist – und (wenn auch
nicht in diesem Beispiel) die extensive Verwendung
des Konjunktivs als Ausdruck einer von Gerüchten,
Hörensagen, Ängsten und Rücksichten gefesselten Ge-
sellschaft – dies sind einige der stilistischen Verfahren,
mit denen Bernhard in „Der Stimmenimitator" den
Leser in seine grotesk pointierte Bewusstseins- und
Gesellschaftskritik hineinzieht. Vorgeführt wird eine
Welt, in der Gewalt und Tod sowie „der plötzliche
Durchbruch von Irrationalität"[171] die Ordnung öster-

reichischer Tradition und Bürgerlichkeit radikal zerstören.

Die groteske Komik dieser anekdotischen Kürzestgeschichten tritt noch deutlicher hervor, wenn man sie in Folge liest, so dass im seriellen Effekt der gehäuften Todesfälle, Selbstmorde und überraschenden Wendungen das spielerische Verfahren dieser Kleinen Prosa gegenüber ihrem abgründigen Thema in den Vordergrund rückt. Einen entschiedenen Schritt weiter in Richtung auf die seriellen Techniken sprachexperimenteller Prosa geht Ror Wolf (*1932) in den Texten seiner Kurzprosabände „Mehrere Männer" (1987) und „Zwei oder drei Jahre später" (2003), in denen die Subversion des anekdotischen Erzählens (wie in Kapitel 3.3. veranschaulicht) bis an die Grenze zur Aufhebung jeden Erzählens geführt wird. Zugleich treibt Wolf die groteske Verfremdung der „Tagesrealität" ins Extrem.[172] Überhaupt ist festzustellen, dass das Groteske vor allem in narrativer Kurzprosa der Gegenwart ins Zentrum rückt. Während die emblematischen Strukturen der Prosaskizze auf den Entwurf sinnhafter Bezüglichkeiten zwischen auseinanderstrebenden Sinndimensionen zielen, auf Korrespondenzverhältnisse zwischen Bild und Reflexion, erlauben Reduktionsformen des Erzählens offenbar ein höheres Maß an Heterogenität und Kontingenz und bieten sich daher für groteske Verfahren in besonderer Weise an.

Gleichwohl erschöpfen sich die narrativen Formen kleiner Gegenwartsprosa nicht in den grotesken Varianten. Bernhard Hüttenegger („Verfolgung der Traumräuber", 1980) und Jochen Schimmang („Vetrautes Gelände, besetzte Stadt", 1998) erproben beispielsweise Kurzformen vorwiegend autobiographischen Erzählens. Erwin Einzinger (*1953) benutzt in seinem Kurzprosaband „Blaue Bilder über die Liebe" (1992) die Scheinordnung des Alphabets (und damit das Modell des Archivs), um das Spannungsverhältnis von selbständigem Einzeltext und Bandganzem zu markieren. Die Gemeinsamkeit der zwischen Kürzestgeschichten und Aufzeichnungen changierenden Stücke liegt hier in dem gewählten Verfahren einer Collage von selbständigen, minimalen Erzählsequenzen. Heiner Feldhoff (*1945) verwendet den Begriff der Kürzestgeschichte in seinem Kurzprosaband „Kafkas Hund" (2001) als Sammelbezeichnung für ein breites Spektrum unterschiedlicher Schreibweisen – bis hin zu Reiseskizzen, aphoristischen Aufzeichnungen und bildhaften Prosaskizzen (vgl. Kapitel 3.2.) –, deren Gravitationszentrum gleichwohl die Kleinstformen des Erzählens darstellen.

Allerdings ist festzuhalten, dass die vorgestellten Repräsentanten der Kürzestgeschichte keineswegs das ganze Spektrum narrativer Kleinformen in der Gegenwart abdecken. Auch hier ist das Zusammenspiel der Schreibweisen im Feld der Kleinen Prosa zu beobachten, in der narrative Texte auch in Sammlungen ihren Platz haben, deren Schwerpunkte im Bereich der Prosaskizze oder (wie im Falle Johanna Walsers) der Aufzeichnung liegen. So hat Botho Strauß vor allem in seinen Kurzprosabänden „Niemand anderes" (1987) und „Wohnen Dämmern Lügen" (1994) die kulturkritischen Prosaskizzen, die seinen Band „Paare, Passanten" (1981) prägen, narrativ zu ‚langen Momenten'[173] erweitert, zu kleinen, ein- bis mehrseitigen Erzähltexten, die gleichwohl – wie die Augenblicksbilder der Prosaskizzen – bildhafte Funktion erfüllen. Beispiele bieten die Eröffnungstexte beider Bände: die Kürzestgeschichte mit dem bildhaften Titel „Mädchen mit Zierkamm",[174] das Porträt eines Punkmädchens in der Großstadt, an dem exemplarisch der Verlust von sozialer Orientierung und Bindung in der spätmodernen Gesellschaft der Bundesrepublik beobachtet wird, bzw.

die titellose Minimalerzählung von einem müden Wanderer, der sich auf seinen inneren „Raumsinn" verlässt und nicht bemerkt, dass er „auf einem stillgelegten Bahnhof sitzt".[175] So entwerfen Strauß' narrative Prosaskizzen in der durch Baudelaire und Benjamin geprägten Tradition des phänomenologischen Blicks auf die Welt der modernen Metropole eine Anthropologie des Sozialen, die in formaler Hinsicht zur Charakterskizze oder (in Ich-Erzähltexten) zur Rollenprosa tendiert. Thematisch-motivische Spiegelungen verbinden die einzelnen Texte der beiden Sammlungen miteinander, während das Prinzip des Schreibweisenwechsels zugleich für eine Multiperspektivität sorgt, die sich von den ideologischen Verkürzungen von Strauß' Reflexions- und Aufzeichnungsprosa abhebt.

4.5.3. Prosagedicht und Prosaskizze

Mehr als einhundert Jahre nach ihren Anfängen im Prosagedicht Baudelaires ist die moderne Kleine Prosa nicht nur weiterhin auf der Suche nach literarischen Schreibweisen jenseits etablierter Gattungsmuster und literarischer Konventionen, sie ist sich zugleich auch selbst historisch geworden. Im Bereich des Prosagedichts und der Prosaskizze lässt sich die Konsolidierung des Feldes Kleiner Prosa seit den 1960er Jahren in intertextuellen oder poetologischen Wiederanknüpfungen an ältere Kurzprosamodelle besonders deutlich beobachten. Die Wiederentdeckung des Prosagedichts an der Wende zu den 1960er Jahren (insbesondere durch Johannes Poethen), Kaschnitz' autobiographische Weiterentwicklung des Benjaminschen Denkbildes und Eichs überraschende Amalgamierung kafkaesker, surrealer und diskurskritischer Momente in den anarchischen Prosaskizzen seiner „Maulwürfe" sind bereits Beispiele für die prinzipielle Verfügbarkeit der älteren Moderne als Inspirationsquelle der Kleinen Prosa in der Gegenwart, in der die älteren Kurzprosamodelle gleichwohl in eigenständiger Weise aktualisiert, kombiniert und weiterentwickelt werden. Diese Präsenz der Gattungsgeschichte mit ihren vielfältigen Spielarten Kleiner Prosa verstärkt zugleich jenes Zusammenspiel der Schreibweisen im entstandenen Feld der kleinen Formen, für das sich gerade in den neueren Sammlungen von Prosagedichten und Prosaskizzen zahllose Belege finden lassen. Darüber hinaus führen diese Kurzprosaformen nachhaltig vor Augen, dass weibliche Autoren in der Gegenwart gleichgewichtig an der Geschichte der Kleinen Prosa mitwirken, während die Gattungsgeschichte vor 1945 (nach heutigem Kenntnisstand) eindeutig männlich dominiert war.

Ein markantes Beispiel für solche aktualisierenden gattungsgeschichtlichen Rückgriffe stellt der erste Kurzprosaband „Paare, Passanten" (1981) von Botho Strauß dar, der deutlich an Walter Benjamin und seine literarische Phänomenologie der modernen Großstadt in den Denkbildern seiner „Einbahnstraße" anknüpft. Auch bei Strauß ist der Blick auf den Verkehrsraum der Stadt und auf ihre „Passanten-Welt" (S. 75)[176] auf der Suche nach signifikanten Augenblicksbildern, an denen kritisch die Signatur der zeitgenössischen Gesellschaft abzulesen ist (vgl. die in Kapitel 3.2. analysierten Prosaskizzen aus „Paare, Passanten"). Thematische Schwerpunkte bilden Entfremdungserfahrungen im Verhältnis der Geschlechter, der Verlust sozialer Bindung und moralischer Orientierung in der spätmodernen Gesellschaft, der Statusverlust und die Entauratisierung der Literatur in der Medien- und Konsumwelt der Gegenwart sowie der Entwurf einer kulturkritischen Zeitpoetik, die angesichts der „akute[n]

115

Krise der Geschichtsbestimmung" (S. 181) gegen die spätmoderne Rationalisierung der Zeit, gegen das lineare Zeitmodell und gegen die ‚Vernetzungen' (S. 26) des Informationszeitalters die ekstatische Erfahrung des Augenblicks und die Suche nach einem neuen mythischen Gedächtnis stellt.

Andere Gegenwartsautoren greifen bis in die Anfänge der modernen Kurzprosa zurück. Die neuerliche, an die frühe Moderne erinnernde Nähe von Prosagedicht und Prosaskizze in der Gegenwartsliteratur ist nicht zuletzt eine Fernwirkung jener vielfältigen Textformen, in denen Baudelaire sein innovatives Gattungskonzept des poème en prose realisiert hat. So hat beispielsweise Walter Helmut Fritz, der sich zudem auch theoretisch mit dem französischen Prosagedicht befasst hat,[177] seit 1978 eine ganze Serie von Bänden mit „Gedichten und Prosagedichten" vorgelegt,[178] deren Prosatexte von Prosalyrik im engeren Sinne über bildhafte Prosaskizzen bis zu stärker durchkomponierten Varianten der Aufzeichnung reichen. Den Entwurf einer Poetik des Prosagedichts im engeren Sinne der Erweiterung lyrischer Ausdrucksmöglichkeiten unternimmt Hans-Jürgen Heise (*1930) in dem programmatischen Nachwort zu seinem Sammelband „Einhandsegler des Traums" (1989), indem er dem Prosagedicht eine formale „Mittelstellung [...] zwischen [...] Kunstprosa und [...] Lyrik in freien Versen" zuweist und es als „variable[n] Typus" auffasst, „der individuelles Sprechen auf großer Bandbreite zuläßt". Das Prosagedicht stellt sich ihm (mit Bezug auf die Surrealisten und Günter Eich) als „das Ausdrucksmittel einer überdurchschnittlichen Wahrnehmungsfähigkeit und Empfindsamkeit" dar, die in „assoziativ angereicherte[r] Weise" und mit „changierenden Bilder[n]" und „Verschiebungen im Raum-Zeit-Gefüge" arbeitet.[179] Dies ist dann allerdings bereits Teil seiner eige-

116

nen Autorpoetik, die Alltagsbeobachtungen mit traum-
logischer Phantastik, surrealen Verfremdungen und
grotesken Pointierungen verbindet. Jenseits der Eich-
Nachfolge trifft dies beispielsweise auch die Prosagedichte von Anne Duden (*1942) – wie „Wimpertier"
und „Krebsgang" in der Sammlung „Wimpertier"
(1995) – mit ihrer intensiven Mikrophänomenologie
körperlicher Empfindungen, Dekompositionserfah-
rungen und Grenzzustände.[180]

Als ‚Gedichte in Prosa' im engeren Sinne präsentieren sich auch die Texte in dem Band „Irrstern" (1986)
der Lyrikerin Sarah Kirsch (*1935), die (in der charakteristischen Suche Kleiner Prosa nach Freiräumen
jenseits der Gattungen) einfach als „Prosa" bezeichnet
sind und durch die motivische Konzentration auf bildhafte Augenblickseindrücke im Übergangsbereich zur
Prosaskizze stehen. Auf einer tagebuchartigen Folie
exemplifiziert das folgende Beispiel so die Überkreuzung von Prosagedicht und emblematischer Prosaskizze:

Boden des Meeres

Es war dieser Falkland-Sommer, als das verständige Land
aber ein Königreich eben aufzuckte um seine letzten Klein-
odien ein paar Schafe Farmer und Pinguine abenteuerlich
Krieg zu führen begann. Wenn es tagelang regnete ich unter
den ausgebreiteten sehr hohen Eichen umherging wie unter
Wasser im dunkelgrünen Licht brennende Schiffe fest auf
der Netzhaut glaubte ich oft ertrunken zu leben und wenn
ich empor sah ins eintönigste Wasser zog etwas über mich
hin das noch am ehesten den Kielen und Schatten der Kriegs-
schiffe glich. Hagelkörner wie Taubeneier fielen und lagen
als Geschmeide unter durchschossenen Blättern auf den
Viehkoppeln aus. Ein Vogel der mir ins Blickfeld geriet
duckte sich eng an den Boden starrte in grünweiße Farben.[181]

Den Spielraum der kontrapunktisch gegen die gesellschaftliche Moderne gesetzten ländlichen Idylle, den
„Irrstern" entwirft, zeitkritisch erweiternd, überblendet
diese Prosaskizze Bildelemente einer ländlichen Kulturlandschaft im sommerlichen Gewitterregen mit
Fernsehbildern des Falklandkrieges und mythischer
Sintflutbildlichkeit zum poetischen Sinnbild einer glo-
balen Bedrohung, die ihren stärksten Ausdruck im
Bild des Ertrinkens und in der surrealen Inversion der
Raumdimensionen findet, und es ist diese Inversion,
die von der Überschrift als zentraler Aspekt der Em-
blematik unterstrichen wird. Der als „abenteuerlich"
kritisierte Falklandkrieg ist hier kein fernes Geschehen, sondern betrifft das Subjekt ganz unmittelbar, indem sich seine Gewalt vermittels des Fernsehens der
„Netzhaut" einbrennt und den Blick auf die Natur
verformt, die nun im Regen und Hagel ebenfalls Krieg
gegen die von dem Vogel repräsentierte Kreatur zu
führen scheint.

Den Charakter eines Prosagedichts gewinnt Kirschs
Text einerseits durch die hohe Verdichtung der Bildsprache, andererseits durch den Verstoß gegen geläu-
fige Prosaregeln im Verzicht auf Kommasetzung, der
zu einer Verlangsamung der Lektüre und zu deren
Rückwendung auf die Sprachlichkeit des Textes führt.
Anders als etwa in Kaschnitz' ähnlich verfahrendem
Prosagedicht „Nacktschneckensommer" (siehe Kapitel
3.1.) entstehen jedoch keine syntaktischen Ambivalen-
zen und Ellipsen und auch die Bildsprache bleibt
transparent. Hinsichtlich der metaphorischen Verdichtung radikaler verfährt Gisela von Wysocki (*1940)
in den Prosagedichten ihres Bandes „Auf Schwarzmärkten" (1983). Lässt sich Kirschs Prosagedicht noch
als Denkbild verstörender Zeiterfahrung lesen, so ge-
hen Wysockis Texte nicht mehr in Sinnbildlichkeit auf,
sondern erfordern mehrdimensionale Lektüren.

Die Affinität zum Augenblick in seiner doppelten Bedeutung als Moment stillgestellter Zeit und als Kategorie der Wahrnehmung prädestiniert die Prosaskizze nicht nur zur Medienkritik – wie in der literarischen Auseinandersetzung mit Fernsehbildern als Inbegriff der neuen Mediengesellschaft und ihres Paradigmenwechsels von der Schrift zum Bild bei Kaschnitz, Kirsch oder in der Prosaskizze „Flucht" aus Klaus Merz' Sammlung „Garn" (2000)[182] –, sondern auch zu intermedialen Bezügen auf Werke der bildenden Kunst. Seit den Anfängen des deutschen Prosagedichts hat sich die Kleine Prosa der Moderne an der Malerei orientiert und deren Bilder literarisch nachgeschaffen bzw. überboten. Auch in der Kurzprosa der Gegenwart finden sich immer wieder Prosaskizzen, die als (mehr oder weniger freie) Bildbeschreibungen gefasst sind, beispielsweise bei Fritz, Merz und Gahse.[183] Bei Anne Duden bildet der poetische Bild-Essay, der freilich in Umfang und Struktur deutlich über die Prosaskizze hinausführt, einen entscheidenden Beitrag der Autorin zur Gegenwartsliteratur, Gisela von Wysocki verbindet in ihrem Band „Auf Schwarzmärkten" „Prosagedichte" und „Fotografien" in motivischen Spiegelungsverhältnissen,[184] und Zsuzsanna Gahse (*1946) adaptiert die Genrebildtradition des Stillebens in ihrem Band „Hundertundein Stilleben" (1991) als das poetologische Modell ihrer Prosaskizzen.

Die Affinität von Prosaskizze und Malerei zeigt sich insbesondere auch dort, wo spezifische Formen der Kunst für den Entwurf emblematischer Prosaskizzen poetologisch Modell zu stehen scheinen, wie in folgendem Naturbild aus dem Band „Mensch. Verwandlungen" (1999) des Lyrikers Christoph Wilhelm Aigner (*1954):

Ein Schwan glitt trotz des Ostwinds ruhig nach Norden wie hingeweht und seine Flügel bewegten sich nur, weil das zur Zufriedenheit des Betrachters gehört. Und in den entgegenkommenden Krähenschwarm drang er ein als langgestrecktes Geschoß, vor dem sich der Schwarm spaltete und hinter dem er sich schloss, sodass der Schattenriss des Schwans der wandernde Kern einer schwarzen Zelle war, und dieses Gebilde am Abendhimmel der mögliche Beginn eines noch nicht bekannten Lebewesens.[185]

Wie schon der Untertitel seiner Sammlung („Verwandlungen") signalisiert, ist Aigner in diesen Kurzprosastücken durchweg auf der Suche nach Augenblicken und Prozessen, in denen die wahrgenommene oder erlebte Wirklichkeit eine Metamorphose erfährt, sich neue Dimensionen eröffnen, das Bekannte sich ins Fremde verwandelt, organische und anorganische Welt ineinander umschlagen, Aggregatzustände ineinander übergehen usw. Insbesondere wo solche Metamorphosen narrativ entworfen werden, kann diese Poetik phantastische, surreale oder groteske Effekte erzielen. Dies deutet sich am Schluss der zitierten Prosaskizze an, wenn das Bild des den schwarzen Krähenschwarm durchquerenden weißen Schwans für einen Moment wie die „Zelle [...] eines noch nicht bekannten Lebewesens" erscheint. Damit wird diese Prosaskizze zur emblematischen Veranschaulichung einer prinzipiellen Unerschlossenheit der Welt jenseits der vertrauten Wirklichkeit, zum Sinnbild einer poetischen Wahrnehmungsschule, die die gewohnte Ordnung sprengt. Im vorliegenden Beispiel erinnert dieses Verfahren deutlich an M. C. Eschers konstruktivistische Kippbilder und Graphiken mit ihrem Spiel mit den Gesetzen visueller Wahrnehmung.

Anmerkungen

1   Alfred Polgar, Die kleine Form, in: Kleine Schriften,
    Bd. 3, S. 371-373.
2   Joris-Karl Huysmans, Gegen den Strich, S. 337.
3   Peter Altenberg, Was der Tag mir zuträgt. Fünfund-
    fünfzig neue Studien, Berlin 1901, S. 6f.; zitiert nach:
    Peter Altenberg, Auswahl aus seinen Büchern, S. 59f.
4   Moderne Rundschau, 3 (April 1891), H. 1, S. 2f.
5   Ausgehend von einem textlinguistischen Modell ‚basa-
    ler Sprechweisen' hat Hauck speziell für das Prosage-
    dicht analog zwischen einem „narrativen", einem „de-
    skriptiven oder evozierenden" und einem „räsonieren-
    den oder argumentierenden Typus" unterschieden
    (Johannes Hauck, Typen des französischen Prosage-
    dichts, S. 29f.).
6   Vgl. zusammenfassend die einschlägigen Beiträge in:
    Kleine literarische Formen in Einzeldarstellungen;
    Prosakunst ohne Erzählen; Reallexikon der deutschen
    Literaturwissenschaft.
7   Die vorliegende Einführung verdankt der Zusammen-
    arbeit des Verfassers mit Thomas Althaus (Münster)
    und Wolfgang Bunzel (München) in der Vorbereitung
    dieser von der Thyssen-Stiftung finanzierten Tagung
    sowie einzelnen Tagungsbeiträgen wichtige Anregun-
    gen. Vgl. den Tagungsband: Kleine Prosa – Theorie
    und Geschichte eines Textfeldes im Literatursystem
    der Moderne (Druck in Vorbereitung).
8   Ulrich Fülleborn, Das deutsche Prosagedicht, S. 58.
9   Deutsche Prosagedichte vom 18. Jahrhundert bis zur
    letzten Jahrhundertwende; Deutsche Prosagedichte des
    20. Jahrhunderts.
10 Fülleborn, Einleitung, in: Deutsche Prosagedichte vom
    18. Jahrhundert bis zur letzten Jahrhundertwende,
    S. 17.
11 Fülleborn, Das deutsche Prosagedicht, S. 22f.
12 Ebd., S. 58, 23.
13 Ebd., S. 30.

14 Hauck, Typen des französischen Prosagedichts, S. 3.

15 Ebd., S. 4, 6.

16 Ebd., S. 11f.

17 Wolfgang Bunzel, Das deutschsprachige Prosagedicht, S. 39f.

18 Ebd., S. 36f.

19 Ebd., S. 45.

20 Wilmont Haacke, Handbuch des Feuilletons, Bd. 1, S. 4; Bd. 2, S. 302.

21 Ebd., Bd. 1, S. 265.

22 Vgl. Haackes ausufernde Liste vermeintlicher „Gattungen des Feuilletons" von Anekdote und Aphorismus über Essay und Glosse bis zu Porträt und Skizze (ebd., Bd. 2, S. 139-286), die den anschließenden Versuch einer zusammenfassenden Definition des Feuilletons als „kleiner Form" auf der Grundlage eines traditionellen Gattungsbegriffs bis zur Beliebigkeit abstrakt und zugleich grotesk unzureichend erscheinen lassen (ebd., Bd. 2, S. 305).

23 Vgl. Sibylle Schönborn, Ansätze zu einer Medienkulturtheorie des Feuilletons, in: Kleine Prosa – Theorie und Geschichte (im Druck).

24 Thomas Lappe, Die Aufzeichnung, S. 123, 368.

25 Ebd., S. 368. Vgl. die Kritik bei Susanne Niemuth-Engelmann, Alltag und Aufzeichnung, S. 13-15.

26 Wilhelm Heinrich Riehl, Ein ganzer Mann, Roman, Stuttgart 1897.

27 Hugo von Hofmannsthal, Ein Brief, in: Erzählungen, Erfundene Gespräche und Briefe, Reisen, S. 465.

28 Ebd., S. 466.

29 Vgl. Dirk Göttsche, Die Produktivität der Sprachkrise in der modernen Prosa, S. 94-103.

30 Vgl. Thomas Althaus, Kurzweil, S. 25.

31 Ebd.

32 Siehe zuletzt Cornelia Ortlieb, Poetische Prosa.

33 Vgl. Marie Luise Kaschnitz, Tagebücher aus den Jahren 1936-1966, Bd. I, S. 637; Bd. II, S. 726; vgl. Dirk Göttsche, Denkbilder der Zeitgenossenschaft.

34 Vgl. Bunzel, Das deutschsprachige Prosagedicht, S. 328-364.

35 Ludwig Völker, Monoverse, S. 236.

36 Max Dauthendey, Gesammelte Werke, Bd. 4, S. 41.

37 Marie Luise Kaschnitz, Gesammelte Werke, Bd. 3, S. 394.

38 Walter Helmut Fritz, Sehnsucht, S. 38.

39 Siehe etwa Günther Seifert, Sinn und Gestalt der literarischen Skizze.

40 Vgl. Moritz Baßler, Skizze; Heinz-Primus Kucher, Genrebilder und Briefkorrespondenzen in österreichischen Zeitschriften / Anthologien vor und um 1848 und deren Relevanz für das Textfeld ‚Kleine Prosa‘, in: Kleine Prosa – Theorie und Geschichte (im Druck).

41 Heinz Schlaffer, Denkbilder, S. 142.

42 Dietmar Peil, Emblem, S. 71.

43 Eberhard Wilhelm Schulz, Zum Wort „Denkbild", S. 243.

44 Burkhard Spinnen, Schriftbilder, S. 8f.

45 Vgl. ebd., S. 117-174 (am Beispiel Peter Altenberg).

46 Schon die Poetik des Emblems in der frühen Neuzeit sieht vor, dass „der Sinn sich erst durch das Zusammenspiel von Bild und Text ergeben soll" (Peil, Emblem, S. 77).

47 Bernhard F. Scholz, Emblem, in: Reallexikon der deutschen Literaturwissenschaft, Bd. 1, S. 435-438, hier S. 435.

48 Vgl. Spinnen, Schriftbilder, S. 8.

49 Heiner Feldhoff, Kafkas Hund, S. 50.

50 Botho Strauß, Paare, Passanten, S. 75.

51 Vgl. Leonie Marx, Die deutsche Kurzgeschichte.

52 Vgl. Urs Meyer, Kurz- und Kürzestgeschichte; vgl. die didaktischen Anthologien: Kürzestgeschichten; 55 gewöhnliche und ungewöhnliche, auf jeden Fall aber kurze und Kürzestgeschichte.

53 Siehe z. B. Charles Baudelaire, Sämtliche Werke, Bd. 8: Le Spleen der Paris. Gedichte in Prosa, S. 162-167

(„Der Kuchen"), S. 186-193 („Die Versuchungen"), S. 286-293 („Fräulein Messer").

54   Huysmans, Gegen den Strich, S. 337.

55   Zu Altenbergs aufschlussreichen Änderungen in seinem Mottozitat vgl. Stefan Nienhaus, Das Prosagedicht im Wien der Jahrhundertwende, S. 21f.

56   Vgl. Bunzel, Das deutschsprachige Prosagedicht, S. 238-240.

57   Hugo von Hofmannsthal, Erzählungen, Erfundene Gespräche und Briefe, Reisen, S. 30-32.

58   Klaus Merz, Garn, S. 25.

59   Jürgen Hein, Die Anekdote, S. 18.

60   Vgl. Sonja Hilzinger, Anekdote, S. 22f.

61   Hein, Die Anekdote, S. 15.

62   Ror Wolf, Zwei oder drei Jahre später, S. 9.

63   Heimito von Doderer, Die Erzählungen, S. 345.

64   Rüdiger Zymner, Aphorismus, S. 35.

65   Harald Fricke, Aphorismus, in: Reallexikon der deutschen Literaturwissenschaft, Bd. 1, S. 104.

66   Vgl. Harald Fricke, Aphorismus, Stuttgart 1984, S. 140-152.

67   Walter Benjamin, Gesammelte Schriften, Bd. IV.1, S. 112.

68   Strauß, Paare, Passanten, S. 101.

69   Ebd., S. 103.

70   Ebd., S. 102f.

71   Christian Schärf, Geschichte des Essays, S. 17, 19.

72   Ebd., S. 35, 10.

73   Theodor W. Adorno, Der Essay als Form, in: Gesammelte Schriften, Bd. 11, S. 9-33, hier S. 27, 17.

74   Schärf, Geschichte des Essays, S. 19.

75   Jürgen von Stackelberg, Französische Moralistik im europäischen Kontext, S. 7.

76   Ebd., S. 58, 8. Vgl. auch Dieter Steland, Moralistik und Erzählkunst von La Rochefoucauld und Mme de Lafayette bis Marivaux.

77   Claus Vogelsang, Das Tagebuch, S. 202. Vgl. Manfred Jurgensen, Das fiktionale Ich.

78 Vogelsang, Das Tagebuch, S. 191f.

79 Ebd., S. 186.

80 Vgl. Jurgensen, Das fiktionale Ich, S. 16-21.

81 Jürgen Becker: Die Türe zum Meer, S. 16.

82 Vgl. Fülleborn, Das deutsche Prosagedicht, S. 19f., 35f.

83 Friedrich Schlegel, Kritische Schriften, S. 38 (Athenäums-Fragmente).

84 Charles Baudelaire, Le Spleen de Paris, S. 115.

85 Fülleborn, Das deutsche Prosagedicht, S. 19

86 Vgl. ausführlich Bunzel, Das deutschsprachige Prosagedicht, S. 111-113.

87 Ebd., S. 85.

88 Ebd., S. 98.

89 Hermann Bahr, Die Überwindung des Naturalismus (1891).

90 Vgl. ausführlich Bunzel, Das deutschsprachige Prosagedicht, Kapitel III/1.

91 Seitenangaben beziehen sich im Folgenden auf Otto Julius Bierbaum, Erlebte Gedichte.

92 Moderne Rundschau 1891, in: Die Wiener Moderne, S. 23.

93 Dauthendey, Gesammelte Werke, Bd. 4, S. 12.

94 Stefan George, Werke, Bd. 2, S. 263f.

95 Vgl. Ortlieb, Poetische Prosa, S. 260f.

96 Georg Trakl, Das dichterische Werk, S. 84.

97 Peter Utz, Zu kurz gekommene Kleinigkeiten, S. 135.

98 Vgl. Nienhaus, Das Prosagedicht im Wien der Jahrhundertwende, S. 205-220; Irene Köwer, Peter Altenberg als Autor der literarischen Kleinform, S. 175-237.

99 Zitiert nach: Peter Altenberg, Auswahl aus seinen Büchern, S. 59.

100 Peter Altenberg, Gesammelte Skizzen 1895-1898 (= Gesammelte Werke in fünf Bänden, Bd. 1), S. 35f.

101 Zu einer anderen Interpretation der Skizze vgl. Köwer, Peter Altenberg als Autor der literarischen Kleinform, S. 109-117.

102 Ebd., S. 116.

103 Vgl. Nienhaus, Das Prosagedicht im Wien der Jahrhundertwende, S. 115-123; Spinnen, Schriftbilder, S. 127-138, 151f.

104 Robert Walser, Das Gesamtwerk, Bd. 12, S. 430f.

105 Robert Walser, Kleine Prosa, Bern 1917.

106 Walser, Das Gesamtwerk, Bd. 12, S. 432.

107 Ebd., Bd. 9, S. 70, 72, 74.

108 Ebd., Bd. 12, S. 323.

109 Vgl. Utz, Zu kurz gekommene Kleinigkeiten, S. 159.

110 Vgl. Moritz Baßler, Die Entdeckung der Textur.

111 Walser, Das Gesamtwerk, Bd. 8, S. 67f.

112 Viktor Žmegač, Robert Walsers Poetik in der literarischen Konstellation der Jahrhundertwende, S. 23.

113 Bernhard Echte, Versuch über das Groteske in Walsers Spätwerk, S. 36.

114 Franz Kafka, Gesammelte Werke, Bd. 1, S. 30.

115 Kafka, Gesammelte Werke, Bd. 1, S. 207f. Zu einer Zusammenfassung der älteren Forschung vgl. Kafka-Handbuch, Bd. 2, S. 320f.

116 Walser, Das Gesamtwerk, Bd. 1, S. 284f.

117 Vgl. Elizabeth Boa, Kafka, S. 14.

118 Vgl. ebd., S. 5f., 12f.

119 Oliver Jahraus und Stefan Neuhaus, Einleitung, S. 28.

120 Michael Esders, Kleine Philosophie, S. 258.

121 Vgl. Gustav Frank, Rachel Palfreyman, Stefan Scherer, ‚Modern Times?' Eine Epochenkonstruktion der Kultur im mittleren 20. Jahrhundert.

122 Utz, Zu kurz gekommene Kleinigkeiten, S. 143; vgl. Christian Jäger, Wachträume unter dem Strich, S. 240f.

123 Ernst Mach, Die Analyse der Empfindungen [1886].

124 Seitenangaben beziehen sich im Folgenden auf Robert Musil, Gesammelte Werke, Bd. 7.

125 Thomas Hake, „Gefühlserkenntnisse und Denkerschütterungen", S. vi.

126 Musil, Gesammelte Werke, Bd. 9, S. 997; vgl. Hake, „Gefühlserkenntisse und Denkerschütterungen", S. ii.

127 Vgl. Gudrun Brokoph-Mauch, Robert Musils „Nachlaß zu Lebzeiten", S. 111.

128 Vgl. Herbert Kraft, Musil, S. 218.

129 Hake, „Gefühlserkenntnisse und Denkerschütterungen", S. 325.

130 Vgl. Schlaffer, Denkbilder; Spinnen, Schriftbilder, S. 253-268. Einen das Theoretische und Rhetorische stärker akzentuierenden Denkbildbegriff vertritt dagegen Britta Leifeld, Das Denkbild bei Walter Benjamin. Zum Verhältnis von Feuilleton und Denkbild vgl. Jäger, Wachträume unter dem Strich.

131 Seitenzahlen beziehen sich im Folgenden auf Walter Benjamin, Gesammelte Schriften, Bd. IV.1. Vgl. Spinnen, Schriftbilder, S. 286.

132 Siehe z. B. den Aphorismus über die „Arbeit an einer guten Prosa" („Achtung Stufen!", S. 102), die „Thesen" zur „Technik des Schriftstellers" („Ankleben verboten!", S. 106) oder die Satire auf den entgegengesetzten Typus des Caféhausliteraten („Poliklinik", S. 131).

133 Theodor W. Adorno und Max Horkheimer, Dialektik der Aufklärung. Philosophische Fragmente [1944], in: Adorno, Gesammelte Schriften, Bd. 3.

134 Seitenangaben beziehen sich im Folgenden auf Ernst Bloch, Spuren.

135 Esders, Kleine Philosophie, S. 252.

136 Seitenzahlen beziehen sich im Folgenden auf Ernst Jünger, Das abenteuerliche Herz [Zweite Fassung].

137 Steffen Martus, Ernst Jünger, S. 1.

138 Vgl. ebd., S. 72ff.

139 Vgl. einführend Marx, Die deutsche Kurzgeschichte; Meyer, Kurz- und Kürzestgeschichte.

140 Vgl. zur Rezeption und Aktualität: Theodor W. Adorno. „Minima Moralia" neu gelesen.

141 Seitenangaben beziehen sich im Folgenden auf Adorno, Gesammelte Schriften, Bd. 4.

142 Seitenangaben beziehen sich im Folgenden auf Marie Luise Kaschnitz, Gesammelte Werke, Bd. 2.

143 Vgl. Dirk Göttsche, Denkbilder der Zeitgenossenschaft.

144 Kaschnitz, Gesammelte Werke, Bd. 3, S. 344.

145 Zu Eichs „poetischem Anarchismus" und der Genre-frage, ob sich die „Maulwürfe" als Prosagedichte lesen lassen, vgl. Larry L. Richardson, Committed Aestheticism, S. 177-188.

146 Günter Eich, Gesammelte Maulwürfe, S. 7.

147 Siehe Eich, Gesammelte Maulwürfe, S. 100.

148 Siehe z. B. „Aus dem deutschen Wortschatz" und „Fallen – Gefallen" aus Kaschnitz' „Steht noch dahin" (Gesammelte Werke, Bd. 3, S. 396, 406) bzw. „Berufsberatung" und „Monolog des Kapitäns Scott" bei Eich (Gesammelte Maulwürfe, S. 129, 135).

149 Helmut Heißenbüttel, Über Literatur, S. 186.

150 Ebd., S. 212f.

151 Ebd., S. 131, 9.

152 Siehe exemplarisch Friederike Mayröckers Buchserie „Magische Blätter" (Bd. 1, Frankfurt/M. 1983; Bd. 5, Frankfurt/M. 1999).

153 Vgl. Niemuth-Engelmann, Alltag und Aufzeichnung, S. 54-88.

154 Vgl. ebd., S. 154f.

155 Peter Handke, Das Gewicht der Welt, S. 7.

156 Ebd., S. 7f.

157 Hansgeorg Schmidt-Bergmann, ‚Augenblicke der Sprache', S. 278.

158 Vgl. Göttsche, Die Produktivität der Sprachkrise, S. 223-302.

159 Handke, Das Gewicht der Welt, S. 8.

160 Peter Handke, Am Felsfenster morgens, S. 8.

161 Gerhard Amanshauser, Grenzen. Aufzeichnungen, S. 7.

162 Becker, Die Türe zum Meer, S. 40.

163 Niemuth-Engelmann, Alltag und Aufzeichnung, S. 21f., 118-130.

164 Vgl. Dirk Göttsche, Denkbild und Kulturkritik.

165 Vgl. Nadja Thomas, „Der Aufstand gegen die sekundäre Welt"; Michael Wiesberg, Botho Strauß.

166 Botho Strauß, Der Untenstehende auf Zehenspitzen, S. 25.

167 Ebd., S. 29.

168 Thomas Bernhard, Der Stimmenimitator, S. 27f.
169 Vgl. Peter Staengle, „Das könne er nicht", S. 287f.
170 Ebd., S. 296.
171 Manfred Mittermayer, Thomas Bernhard, S. 99.
172 Vgl. Karl Riha, Cut-up-Kürzestgeschichten, S. 269.
173 Botho Strauß, Niemand anderes, S. 5.
174 Ebd., S. 7-11.
175 Botho Strauß, Wohnen Dämmern Lügen, München, Wien 1994, S. 7f.
176 Seitenangaben beziehen sich im Folgenden auf Strauß, Paare, Passanten.
177 Walter Helmut Fritz, Möglichkeiten des Prosagedichts.
178 Vgl. Literaturverzeichnis.
179 Hans-Jürgen Heise, Stichwort Prosagedicht, in: Einhandsegler des Traums, S. 335f.
180 Vgl. Dirk Göttsche, „Gestalt aus Bewegung".
181 Sarah Kirsch, Irrstern. Prosa, S. 28.
182 Klaus Merz, Garn, S. 24.
183 Fritz, Schatten, in: Cornelias Traum, S. 16; Merz, Déjeuner sur l'herbe, in: Garn, S. 10; Zsuzsanna Gahse, Luca, der Fischesser, um 1552, in: Hundertundein Stilleben, S. 131.
184 Gisela von Wysocki, Auf Schwarzmärkten. Prosagedichte. Fotografien.
185 Christoph Wilhelm Aigner, Mensch. Verwandlungen, S. 110.

Literatur

Ausgaben und Quellen

Theodor W. *Adorno*, Gesammelte Schriften, 20 Bde.,
hg. von Rolf Tiedemann unter Mitwirkung von
Gretel Adorno, Susan Buck-Morss und Klaus
Schultz, Darmstadt 1998 [1997].

Ilse *Aichinger*, Kleist, Moos, Fasane, Frankfurt/M. 1991
(= Werke. Taschenbuchausgabe in acht Bdn., hg.
von Richard Reichensperger).

Christoph Wilhelm *Aigner*, Mensch. Verwandlungen,
Stuttgart 1999.

Peter *Altenberg*, Auswahl aus seinen Büchern von Karl
Kraus, Frankfurt/M. 1997 [Wien 1932].

Peter *Altenberg*, Gesammelte Werke in 5 Bdn., hg. von
Werner J. Schweiger, Bde. 1-2, Wien, Frankfurt/M.
1987 (= Gesammelte Skizzen 1895-1919; mehr
nicht erschienen).

Peter *Altenberg*, Sonnenuntergang im Prater. 55 Prosastücke, hg. von Hans Dieter Schäfer, Stuttgart
1998 [1968].

Gerhard *Amanshauser*, Grenzen. Aufzeichnungen, Salzburg 1977.

Hermann *Bahr*, Die Überwindung des Naturalismus
(1891), in: Die Wiener Moderne. Literatur, Kunst
und Musik zwischen 1890 und 1910, hg. von Gotthart Wunberg unter Mitarbeit von Johannes J.
Braakenburg, Stuttgart 1981, S. 199-205.

Emil *Barth*, Nachtschatten. Dichtungen in Prosa (1947-
1952), in: Gesammelte Werke in 2 Bdn., hg. von
Franz Norbert Mennemeier, Wiesbaden 1960, Bd.
1, S. 193-245.

Charles *Baudelaire*, Le Spleen de Paris. Gedichte in
Prosa (1857-1864) [zweisprachig], in: Sämtliche
Werke/Briefe in 8 Bdn., hg. von Friedhelm Kemp

und Claude Pichois in Zusammenarbeit mit Wolfgang Drost, Darmstadt 1985, Bd. 8.

Jürgen *Becker*, Felder [1964] Ränder [1968] Umgebungen [1970], Frankfurt/M. 1983.

Jürgen *Becker*, Die Türe zum Meer, Frankfurt/M. 1983.

Walter *Benjamin*, Einbahnstraße (1928), in: Gesammelte Schriften, unter Mitwirkung von Theodor W. Adorno und Gershom Sholem hg. von Rolf Tiedemann und Hermann Schweppenhäuser, Frankfurt/M. 1980 [1972], Bd. IV.1, S. 83-148.

Walter *Benjamin*, Berliner Kindheit um Neunzehnhundert (1932-1938), in: ebd., S. 235-304.

Thomas *Bernhard*, Der Stimmenimitator, Frankfurt/M. 1987 [1978].

Aloysius *Bertrand*, Gaspard de la Nuit. Fantaisies à la manière de Rembrandt et de Callot (1842), hg. von Max Milner, Paris 1980.

Otto Julius *Bierbaum*, Erlebte Gedichte, 2. Aufl. Berlin, Leipzig o.J. [1892].

Ernst *Bloch*, Spuren (1930/59), 9. Aufl. Frankfurt/M. 1995.

Max *Dauthendey*, Ultra Violett (1893), in: Gesammelte Werke in 6 Bdn., München 1925, Bd. 4, S. 7-92.

Deutsche Prosagedichte vom 18. Jahrhundert bis zur Jahrhundertwende. Eine Textsammlung, in Zusammenarbeit mit Klaus Engelmann hg. von Ulrich Fülleborn, München 1985.

Deutsche Prosagedichte des 20. Jahrhunderts. Eine Textsammlung, in Zusammenarbeit mit Klaus Peter Dencker hg. von Ulrich Fülleborn, München 1976.

Heimito von *Doderer*, Kurz- und Kürzestgeschichten (1926-1964), in: Die Erzählungen, hg. von Wendelin Schmidt-Dengler, München 1972, S. 211-345.

Anne *Duden*, Wimpertier, 2. Aufl. Köln 1997 [1995].

Anne *Duden*, Der wunde Punkt im Alphabet, 2. Aufl. Hamburg 1996 [1995].

Günter *Eich*, Gesammelte Maulwürfe (1968/70), Frankfurt/M. 1993.

Erwin *Einzinger*, Blaue Bilder über die Liebe, Salzburg, Wien 1992.

Heiner *Feldhoff*, Kafkas Hund oder Der Verwirrte im Sonntagsstaat. Kürzestgeschichten, Tübingen 2001.

Max *Frisch*, Tagebuch 1946-1949, Frankfurt/M. 1950.

Max *Frisch*, Tagebuch 1966-1971, Frankfurt/M. 1972.

Walter Helmut *Fritz*, Sehnsucht. Gedichte und Prosagedichte, Hamburg 1978.

Walter Helmut *Fritz*, Wunschtraum Alptraum. Gedichte und Prosagedichte 1979-1981, Hamburg 1981.

Walter Helmut *Fritz*, Cornelias Traum und andere Aufzeichnungen, Hamburg 1985.

Walter Helmut *Fritz*, Immer einfacher – immer schwieriger. Gedichte und Prosagedichte 1983-1986, Hamburg 1987.

Walter Helmut *Fritz*, Zeit des Sehens. Prosa, Hamburg 1989.

Walter Helmut *Fritz*, Die Schlüssel sind vertauscht. Gedichte und Prosagedichte 1987-1991, Hamburg 1992.

Walter Helmut *Fritz*, Das offene Fenster. Prosagedichte, Hamburg 1997.

55 gewöhnliche und ungewöhnliche, auf jeden Fall aber kurze und Kürzestgeschichten, zusammengestellt von Dagmar Grenz, Stuttgart, Düsseldorf, Leipzig 2003 [1987] (= Klett Lesehefte für den Literaturunterricht).

Zsuszanna *Gahse*, Zero. Prosa, München 1983.

Zsuzsanna *Gahse*, Hundertundein Stilleben. Prosa, Klagenfurt, Salzburg 1991.

Stefan *George*, Tage und Taten. Aufzeichnungen und Skizzen (1903), in: Werke. Ausgabe in 4 Bdn., München 1983, Bd. 2, S. 251-321.

Peter *Handke*, Das Gewicht der Welt. Ein Journal (November 1975 – März 1977), Frankfurt/M. 1979 [1977].

Peter *Handke*, Die Geschichte des Bleistifts, Salzburg, Wien 1982.

Peter *Handke*, Phantasien der Wiederholung, Frankfurt/M. 1996 [1983].

Peter *Handke*, Am Felsfenster morgens (und andere Ortszeiten 1982-1987), München 2000 [1998].

Hans-Jürgen *Heise*, Nachruf auf eine schöne Gegend. Gedichte und Kurzprosa, Düsseldorf 1977.

Hans-Jürgen *Heise*, Einhandsegler des Traums. Gedichte, Prosagedichte, Selbstdarstellungen, Kiel 1989.

Helmut *Heißenbüttel*, Textbuch 1-4, Olten, Freiburg 1960-1964; Textbuch 6, Neuwied, Berlin 1967.

Helmut *Heißenbüttel*, Über Literatur. Aufsätze und Frankfurter Vorlesungen, 2. Aufl. München 1972 [1966].

Hugo von *Hofmannsthal*, Erzählungen, Erfundene Gespräche und Briefe, Reisen, Frankfurt/M. 1979 (= Gesammelte Werke in zehn Einzelbänden, hg. von Bernd Schoeller in Beratung mit Rudolf Hirsch).

Bernhard *Hüttenegger*, Verfolgung der Traumräuber. Tagesverläufe, Graz 1980.

Joris-Karl *Huysmans*, Gegen den Strich. Roman, aus dem Französischen von Hans Jacob, Zürich 1981.

Ernst *Jünger*, Das abenteuerliche Herz (1929/38), in: Sämtliche Werke, 2. Abtl., Bd. 9, Stuttgart 1979, S. 31-330.

Ernst *Jünger*, Sgraffiti (1960), in: ebd., S. 331-480.

Ernst *Jünger*, Das abenteuerliche Herz [Zweite Fassung], Frankfurt/M. 1988 [1950].

Franz *Kafka*, Gesammelte Werke in 12 Bdn., nach der Kritischen Ausgabe hg. von Hans-Gerd Koch, Frankfurt/M. 1994, Bd. 1: Ein Landarzt und andere Drucke zu Lebzeiten.

Marie Luise *Kaschnitz*, Gesammelte Werke. 7 Bde., hg. von Christian Büttrich und Norbert Miller, Frankfurt/M. 1981-1989: Engelsbrücke. Römische Betrachtungen (1955), Bd. 2, S. 7-270; Steht noch dahin. Neue Prosa (1970), Bd. 3, S. 339-414; Orte. Aufzeichnungen (1973), Bd. 3, S. 415-650.

Marie Luise *Kaschnitz*, Tagebücher aus den Jahren 1936-1966, hg. von Christian Büttrich, Marianne Büttrich und Iris Schnebel-Kaschnitz, 2 Bde., Frankfurt/M. 2000.

Sarah *Kirsch*, Irrstern. Prosa, Stuttgart 1986.

Sarah *Kirsch*, Das simple Leben, Stuttgart 1994.

Sarah *Kirsch*, Islandhoch, Göttingen 2002.

Sarah *Kirsch*, Tatarenhochzeit, Stuttgart, München 2003.

Sarah *Kirsch*, Kommt der Schnee im Sturm geflogen. Prosa, München 2005.

Karl *Kraus*, Ausgewählte Werke, Bd. 1-3, unter Mitarbeit von Kurt Krolop und Roland Links hg. von Dietrich Simon, Berlin (DDR) 1972.

Günter *Kunert*, Die Botschaft des Hotelzimmers an den Gast. Aufzeichnungen, hg. von Hubert Witt, München, Wien 2004.

Kürzestgeschichten. Für die Sekundarstufe hg. von Hans-Christoph Graf von Nayhauss, Stuttgart 1999 [1982] (= Reclam Arbeitstexte für den Unterricht).

Detlev von *Liliencron*, Adjutantenritte und andere Gedichte, Leipzig o.J. [1883].

Ernst *Mach*, Die Analyse der Empfindungen und das Verhältnis des Physischen zum Psychischen, Neudruck Darmstadt 1985 [1886].

Kurt *Marti*, Zärtlichkeit und Schmerz. Notizen, Darmstadt, Neuwied 1979.

Friederike *Mayröcker*, Gesammelte Prosa 1949-1975, Frankfurt/M. 1989.

Friederike *Mayröcker*, Magische Blätter I-V, Frankfurt/M. 1983-1999.

Klaus *Merz*, Garn. Prosa & Gedichte, Innsbruck 2000.

Franz *Mon*, Lesebuch, Neuwied, Berlin 1967.

Robert *Musil*, Nachlaß zu Lebzeiten (1936), in: Gesammelte Werke in 9 Bdn., hg. von Adolf Frisé, Reinbek bei Hamburg 1978, Bd. 7, S. 471-562.

Johannes *Poethen*, Gedichte 1946-1971, hg. von Jürgen P. Wallmann, Düsseldorf 1973.

Alfred *Polgar*, Kleine Schriften. 3 Bde., hg. von Marcel Reich-Ranicki in Zusammenarbeit mit Ulrich Weinzierl, Reinbek bei Hamburg 2003-2004 [1982].

Arthur *Rimbaud*, Sämtliche Dichtungen, Französisch und Deutsch, hg. und übertragen von Walther Küchler, 6. Aufl. Heidelberg 1982.

Peter *Rosei*, Der Fluß der Gedanken durch den Kopf. Logbücher, Salzburg 1976.

Jochen *Schimmang*, Vertrautes Gelände, besetzte Stadt, Frankfurt/M. 1998.

Johannes *Schlaf*, Gedichte in Prosa, Berlin 1920.

Friedrich *Schlegel*, Kritische Schriften, hg. von Wolfdietrich Rasch, 3. Aufl. München 1971.

Wolfdietrich *Schnurre*, Der Schattenfotograf. Aufzeichnungen, München 1978.

Botho *Strauß*, Paare, Passanten, 3. Aufl. München 1986 [1981].

Botho *Strauß*, Niemand anderes, München 1987.

Botho *Strauß*, Fragmente der Undeutlichkeit, München 1989.

Botho *Strauß*, Beginnlosigkeit. Reflexionen über Fleck und Linie, München 1992.

Botho *Strauß*, Wohnen Dämmern Lügen, München 1994.

Botho *Strauß*, Die Fehler des Kopisten, München 1999 [1997].

Botho *Strauß*, Das Partikular, München 2000.

Botho *Strauß*, Der Untenstehende auf Zehenspitzen, München, Wien 2004.

Georg *Trakl*, Das dichterische Werk, auf Grund der historisch-kritischen Ausgabe von Walther Killy und Hans Szklenar redigiert von Friedrich Kur, München 1979 [1972].

Kurt *Tucholsky*, Gesammelte Werke in 10 Bdn., hg. von Mary Gerold-Tucholsky und Fritz J. Raddatz, Reinbek bei Hamburg 1975.

Iwan *Turgenjew*, Gedichte in Prosa, russisch/deutsch, hg. von Christine Reinke-Kunze, Stuttgart 1983.

Johanna *Walser*, Vor dem Leben stehend, Frankfurt/M. 1982.

Johanna *Walser*, Versuch, da zu sein, Frankfurt/M. 1998.

Robert *Walser*, Das Gesamtwerk, 12 Bde., hg. von Jochen Greven, Zürich 1978.

Peter *Weber*, Bahnhofsprosa, Frankfurt/M. 2002.

Josef *Winkler*, Leichnam, seine Familie belauernd, Frankfurt/M. 2003.

Ben *Witter*, Straßenbekannschaften. Kurzprosa, Reinbek bei Hamburg 1990.

Ror *Wolf*, Mehrere Männer. Sechsundachtzig ziemlich kurze Geschichten und eine längere Reise (1987), in: ders., Danke schön. Nichts zu danken; Mehrere Männer, Frankfurt/M. 1995, S. 153-265.

Ror *Wolf*, Zwei oder drei Jahre später. Siebenundvierzig Abschweifungen. Frankfurt/M. 2003.

Gisela von *Wysocki*, Auf Schwarzmärkten. Prosagedichte. Fotografien, Frankfurt/M., Paris 1983.

Forschungsliteratur in Auswahl

Thomas *Althaus*, Kurzweil. Überlegungen zum Verhältnis von Darstellungsintention und geringem Textumfang in der Kleinen Prosa des 16. Jahrhunderts, in: Textsorten deutscher Prosa vom 12./13. bis 18. Jahrhundert und ihre Merkmale. Akten zum

Internationalen Kongreß in Berlin, 20. bis 22. September 1999, hg. von Franz Simmler, Bern, Frankfurt/M., New York 2002, S. 23-38.

Helmut *Arntzen*, Philosophie als Literatur. Kurze Prosa von Lichtenberg bis Bloch, in: Zur Sprache kommen. Studien zur Literatur- und Sprachreflexion, zur deutschen Literatur und zum öffentlichen Sprachgebrauch, Münster 1983, S. 314- 327.

Moritz *Baßler*, Die Entdeckung der Textur. Unverständlichkeit in der Kurzprosa der emphatischen Moderne 1910-1916, Tübingen 1994.

Moritz *Baßler*, Skizze, in: Reallexikon der deutschen Literaturwissenschaft, Bd. 3, S. 444f.

Elizabeth *Boa*, Kafka. Gender, Class, and Race in the Letters and Fictions, Oxford 1996.

Gudrun *Brokoph-Mauch*, Robert Musils „Nachlaß zu Lebzeiten", New York, Bern 1985.

Wolfgang *Bunzel*, Das deutschsprachige Prosagedicht. Theorie und Geschichte einer literarischen Gattung der Moderne, Tübingen 2005.

Asit *Datta*, Kleinformen in der deutschen Erzählprosa seit 1945 – eine poetologische Studie, München 1972.

Bernhard *Echte*, Versuch über das Groteske in Walsers Spätwerk, in: „Immer dicht vor dem Sturze ..." Zum Werk Robert Walsers, hg. von Paolo Chiarini und Hans Dieter Zimmermann, Frankfurt/M. 1987, S. 32-46.

Michael *Esders*, Kleine Philosophie. Kurze Prosa bei Simmel, Bloch, Benjamin, Adorno und Flusser, in: Weimarer Beiträge, 46 (2000), S. 250-260.

Gustav *Frank*, Rachel *Palfreyman*, Stefan *Scherer*, ‚Modern Times?' Eine Epochenkonstruktion der Kultur im mittleren 20. Jahrhundert – Skizze eines Forschungsprogramms, in: ‚Modern Times?' German Literature and Arts Beyond Political Chronologies / Kontinuitäten der Kultur: 1925-1955, hg. von

Frank, Palfreyman und Scherer, Bielefeld 2005, S. 387-430.

Harald *Fricke*, Aphorismus, Stuttgart 1984.

Harald *Fricke*, Aphorismus, in: Reallexikon der deutschen Literaturwissenschaft, Bd. 1, S. 104-106.

Helmut *Fritz*, Möglichkeiten des Prosagedichts anhand einiger französischer Beispiele, Mainz, Wiesbaden 1970 (= Akademie der Wissenschaften und der Literatur, Abhandlungen der Klasse der Literatur, Jg. 1970, Nr. 2).

Ulrich *Fülleborn*, Das deutsche Prosagedicht. Zu Theorie und Geschichte einer Gattung, München 1970.

Dirk *Göttsche*, Die Produktivität der Sprachkrise in der modernen Prosa, Frankfurt/M. 1987.

Dirk *Göttsche*, Denkbild und Kulturkritik. Entwicklungen der Kurzprosa bei Botho Strauß, in: Text + Kritik 81, München 1998, S. 27-40.

Dirk *Göttsche*, Denkbilder der Zeitgenossenschaft. Entwicklungen moderner Kurzprosa bei Marie Luise Kaschnitz, in: „Für eine aufmerksamere und nachdenklichere Welt". Beiträge zu Marie Luise Kaschnitz, hg. von Dirk Göttsche, Stuttgart 2001, S. 79-104.

Dirk *Göttsche*, „Gestalt aus Bewegung". Beobachtungen zu Anne Dudens Kurzprosa und Essayistik, in: Anne Duden. A Revolution of Words. Approaches to her Fiction, hg. von Heike Bartel und Elizabeth Boa, London 2003, S. 19-42.

Dirk *Göttsche*, ‚Denkbilder' der Moderne und kulturkritische ‚Betrachtungen'. Entwicklungen der Kurzprosa zwischen 1925 und 1955, in: ‚Modern Times'?, S. 149-165.

Dirk *Göttsche*, Kolonialismus und Interkulturalität in Peter Altenbergs „Ashantee"-Skizzen, in: (Post-)Kolonialismus und Deutsche Literatur. Impulse der angloamerikanischen Literatur- und Kulturtheorie, hg. von Axel Dunker, Bielefeld 2005, S. 161-178.

Wilmont *Haacke*, Handbuch des Feuilletons, 3 Bde., Emsdetten 1951-53.

Thomas *Hake*, „Gefühlserkenntnisse und Denkerschütterungen". Robert Musils „Nachlaß zu Lebzeiten", Bielefeld 1998.

Johannes *Hauck*, Typen des französischen Prosagedichts. Zum Zusammenhang von moderner Poetik und Erfahrung, Tübingen 1994.

Jürgen *Hein*, Die Anekdote, in: Formen der Literatur in Einzeldarstellungen, hg. von Otto Knörrich, Stuttgart 1981, S. 14-20.

Sonja *Hilzinger*, Anekdote, in: Kleine literarische Formen in Einzeldarstellungen, S. 7-26.

Christian *Jäger*, Wachträume unter dem Strich. Zum Verhältnis von Feuilleton und Denkbild, in: Die lange Geschichte der Kleinen Form. Beiträge zur Feuilletonforschung, hg. von Kai Kauffmann und Erhard Schütz, Berlin 2000, S. 229-242.

Oliver *Jahraus* und Stefan *Neuhaus*, Einleitung: Die Methodologie der Literaturwissenschaft und die Kafka-Interpretation, in: Kafkas „Urteil" und die Literaturtheorie. Zehn Modellanalysen, hg. von O. Jahraus und S. Neuhaus, Stuttgart 2002, S. 23-35.

Manfred *Jurgensen*, Das fiktionale Ich. Untersuchungen zum Tagebuch, Bern, München 1979.

Kafka-Handbuch in zwei Bdn., hg. von Hartmut Binder, Stuttgart 1979.

Kleine literarische Formen in Einzeldarstellungen, Stuttgart 2002.

Kleine Prosa – Theorie und Geschichte eines Textfeldes im Literatursystem der Moderne, hg. von Thomas Althaus, Wolfgang Bunzel und Dirk Göttsche (Druck in Vorbereitung).

Die kleinen Formen in der Moderne, hg. von Elmar Locher, Innsbruck, Bozen 2001.

Irene *Köwer*, Peter Altenberg als Autor der literarischen Kleinform. Untersuchungen zu seinem Werk unter gattungspsychologischem Aspekt, Frankfurt/M., Bern 1987.

Herbert *Kraft*, Musil, Wien 2003.

Thomas *Lappe*, Die Aufzeichnung. Typologie einer literarischen Kurzform, Aachen 1991.

Britta *Leifeld*, Das Denkbild bei Walter Benjamin. Die unsagbare Moderne als denkbares Bild, Frankfurt/M. 2000.

Steffen *Martus*, Ernst Jünger, Stuttgart 2001.

Leonie *Marx*, Die deutsche Kurzgeschichte, 2. überarbeitete und erweiterte Aufl., Stuttgart 1997.

Urs *Meyer*, Kurz- und Kürzestgeschichte, in: Kleine literarische Formen in Einzeldarstellungen, S. 124-146.

Manfred *Mittermayer*, Thomas Bernhard, Stuttgart 1995.

‚Modern Times?' German Literature and Arts Beyond Political Chronologies / Kontinuitäten der Kultur: 1925-1955, hg. von Gustav Frank, Rachel Palfreyman und Stefan Scherer, Bielefeld 2005.

Stefan *Nienhaus*, Das Prosagedicht im Wien der Jahrhundertwende. Altenberg – Hofmannsthal – Polgar, Berlin 1986.

Susanne *Niemuth-Engelmann*, Alltag und Aufzeichnung. Untersuchungen zu Canetti, Bender, Handke und Schnurre, Würzburg 1998.

Cornelia *Ortlieb*, Poetische Prosa. Beiträge zur modernen Poetik von Charles Baudelaire bis Georg Trakl, Stuttgart 2001.

Dietmar *Peil*, Emblem, in: Kleine literarische Formen in Einzeldarstellungen, S. 71-85.

Prosakunst ohne Erzählen. Die Gattungen der nichtfiktionalen Kunstprosa, hg. von Klaus Weissenberger, Tübingen 1985.

Reallexikon der deutschen Literaturwissenschaft, gemeinsam mit Harald Fricke, Klaus Grubmüller und

Jan-Dirk Müller hg. von Klaus Weimar, 3 Bde., Berlin, New York 1997-2003.

Larry L. *Richardson*, Committed Aestheticism. The Poetic Theory and Practice of Günter Eich, Bern, Frankfurt/M. 1983.

Karl *Riha*, Cut-up-Kürzestgeschichten ... am Beispiel von Helmut Heißenbüttel und Ror Wolf, in: Prämoderne – Moderne – Postmoderne, Frankfurt/M. 1995, S. 255-274.

Christian *Schärf*, Geschichte des Essays. Von Montaigne bis Adorno, Göttingen 1999.

Heinz *Schlaffer*, Denkbilder. Eine kleine Prosaform zwischen Dichtung und Gesellschaftstheorie, in: Poesie und Politik. Zur Situation der Literatur in Deutschland, hg. von Wolfgang Kuttenkeuler, Stuttgart 1973, S. 137-154.

Hansgeorg *Schmidt-Bergmann*, ‚Augenblicke der Sprache‘. Peter Handkes Journal „Das Gewicht der Welt", in: Die kleinen Formen in der Moderne, S. 263-278.

Bernhard F. *Scholz*, Emblem, in: Reallexikon der deutschen Literaturwissenschaft, Bd. 1, S. 435-438.

Eberhard Wilhelm *Schulz*, Zum Wort „Denkbild", in: Wort und Zeit. Aufsätze und Vorträge zur Literaturgeschichte, Neumünster 1968, S. 218-252.

Günther *Seifert*, Sinn und Gestalt der literarischen Skizze, Halle 1961.

Burkhard *Spinnen*, Schriftbilder. Studien zu einer Geschichte emblematischer Kurzprosa, Münster 1991.

Jürgen von *Stackelberg*, Französische Moralistik im europäischen Kontext, Darmstadt 1982.

Peter *Staengle*, „Das könne er nicht." Zu Thomas Bernhards „Der Stimmenimitator", in: Die kleinen Formen in der Moderne, S. 279-298.

Dieter *Steland*, Moralistik und Erzählkunst von La Rochefoucauld und Mme de Lafayette bis Marivaux, München 1984.

Theodor W. Adorno. „Minima Moralia" neu gelesen, hg. von Andreas Bernar und Ulrich Raulff, Frankfurt/M. 2003.

Nadja *Thomas*, „Der Aufstand gegen die sekundäre Welt". Botho Strauß und die „Konservative Revolution", Würzburg 2004.

Peter *Utz*, Zu kurz gekommene Kleinigkeiten. Robert Walser und der Beitrag des Feuilletons zur literarischen Moderne, in: Die kleinen Formen in der Moderne, S. 133-165.

Ludwig *Völker*, Monoverse. Hinweis auf ein ungeschriebenes Kapitel der lyrischen Formenlehre, in: Mutual Exchanges. Sheffield-Münster Colloquium II, hg. von Dirk Jürgens, Frankfurt/M., Bern 1999, S. 236-261.

Claus *Vogelsang*, Das Tagebuch, in: Prosakunst ohne Erzählen, S. 185-202.

Die Wiener Moderne. Literatur, Kunst und Musik zwischen 1890 und 1910, hg. von Gotthart Wunberg unter Mitarbeit von Johannes J. Braakenburg, Stuttgart 1981.

Michael *Wiesberg*, Botho Strauß. Dichter der Gegen-Aufklärung, Dresden 2002.

Viktor *Žmegač*, Robert Walsers Poetik in der literarischen Konstellation der Jahrhundertwende, in: Robert Walser und die moderne Poetik, hg. von Dieter Borchmeyer, Frankfurt/M. 1999, S. 21-36.

Rüdiger *Zymner*, Aphorismus, in: Kleine literarische Formen in Einzeldarstellungen, S. 27-53.

Über den Autor

Professor of German am Department of German Studies der University of Nottingham. Geboren 1955 in Hamburg, Studium der Germanistik, Anglistik und Pädagogik an der Universität Münster; Dr. phil. Münster 1986, Habilitation Münster 1999.

Monographien: Die Produktivität der Sprachkrise in der modernen Prosa, Frankfurt/M. 1987; Zeitreflexion und Zeitkritik im Werk Wilhelm Raabes, Würzburg 2000; Zeit im Roman. Literarische Zeitreflexion und die Geschichte des Zeitromans im späten 18. und im 19. Jahrhundert, München 2001.

Ausgewählte Editionen: Ingeborg Bachmann, „Todesarten"-Projekt. Kritische Ausgabe, unter Leitung von Robert Pichl hg. zus. mit Monika Albrecht, 4 Bde. in 5 Bdn., München 1995; Ingeborg Bachmann, Kritische Schriften, hg. zus. mit Monika Albrecht, München 2005.

Ausgewählte Sammelbände: „Über die Zeit schreiben". Literatur- und kulturwissenschaftliche Essays zum Werk Ingeborg Bachmanns, 3 Bde., hg. zus. mit Monika Albrecht, Würzburg 1998, 2000, 2004; „Für eine aufmerksamere und nachdenklichere Welt". Beiträge zu Marie Luise Kaschnitz, Stuttgart 2001; Bachmann-Handbuch. Leben – Werk – Wirkung, hg. zus. mit Monika Albrecht, Stuttgart 2002; Interkulturelle Texturen. Afrika und Deutschland im Reflexionsmedium der Literatur, hg. zus. mit M. Moustapha Diallo, Bielefeld 2003; Kleine Prosa – Theorie und Geschichte eines Textfeldes im Literatursystem der Moderne, hg. zus. mit Thomas Althaus und Wolfgang Bunzel (Tagungsband der Tagung Münster 2005, Veröffentlichung in Vorbereitung).

Literaturwissenschaft. Theorie und Beispiele

Herausgeber:
Prof. Dr. Dr. h. c. Herbert Kraft
Westfälische Wilhelms-Universität
Germanistisches Institut
Domplatz 20-22, D-48143 Münster
Tel. 0251-8324606
e-mail: krafthe@uni-muenster.de